G

Recetas Catequéticas

Para después de la Primera Comunión

Obra Nacional de la Buena Prensa, A.C.
Ciudad de México

Recetas catequéticas
Para después de la Primera Comunión

Guillermo Ameche, S.J.

Primera edición de Buena Prensa, julio del 2000
Segunda edición, julio 2001

Hecho en México

ISBN: 970-693-058-2

Con las debidas licencias

OBRA NACIONAL DE LA BUENA PRENSA, A.C.
Apartado M-2181. 06000 México, D.F.
Orozco y Berra 180. Sta. María la Ribera.
Tel. 5546 4500. Fax 5535 5589
buepre@mail.internet.com.mx
www.sjsocial.org/Buena_Prensa/default.html
Sucursales:
• **Librería Miguel Agustín Pro, S.J.**
Orizaba 39 bis. Col. Roma.
06700 México, D.F. Tels. 5207 7407 y 5207 8062
• **Librería Loyola**
Congreso 8. Tlalpan. 14000 México, D.F.
Tels. 5513 63 87 y 5513 6388.
• **Librería San Ignacio**
Donceles 105-D. Centro. 06020 México, D.F.
Tels. 57 02 18 18 y 57 02 16 48.
• **Librería San Ignacio**
Rayón 720 Sur,
Monterrey, N.L.
Tels. (8) 343 11 12 y 343 11 21.
• **Librería San Ignacio**
Madero y Pavo, Sector Juárez, Guadalajara Jal.
Tels. (01) 36 58 11 70 y 36 58 09 36

Se terminó de imprimir esta segunda edición el día 25 de julio del 2001, festividad de Santiago, apóstol, en los talleres de Offset Santiago, S.A. de C.V. Dr. Erazo 182. Col. Doctores. 06720 México, D.F.

¿Por qué este libro?

Hace tiempo estuve presente en una reunión de un decanato de la Ciudad de Oaxaca; el tema fue la situación actual de la catequesis. Se había hecho una encuesta con anterioridad y ocho parroquias la habían contestado. El resultado me impactó. Para hacer la Primera Comunión estaban asistiendo más de cuatro mil niños al catecismo. Pero para continuar con su catequesis después de la Primera Comunión, sólo asistían ochenta y nueve niños… ¡un promedio de once niños por parroquia! No lo podía creer. Y, cuando expresé mi inconformidad ante esta situación, un párroco se me acercó y me dijo: "No te preocupes, es lo mismo en todos lados. Es más, hasta un obispo me dijo que así está la situación en todo México. No se puede hacer nada; así es".

Así es… pero no me conformo. En el catecismo les enseñamos y animamos a los niños a conocer a Jesús… a amarlo… y a aceptar con gusto su llamado a seguirlo. No puedo aceptar que Jesús no quiera seguir acompañándolos en la siguiente etapa de la vida. No lo creo y no lo acepto.

Lo que sí creo es que hay ciertas realidades que están causando este fenómeno; por ejemplo:

La costumbre

En México no hay costumbre de mandar a los niños al catecismo después de que hacen la Primera Comunión. Muchos papás prefieren que sus hijos los ayuden en los quehaceres de la casa o del trabajo, en vez de *perder* el tiempo en una catequesis que no es obligatoria como lo que fue el catecismo para la Primera Comunión.

El libro

Muchos de los libros que se usan para esta catequesis no entusiasman a los niños para nada, porque se parecen a los textos de la escuela (catecismos escolares por grados) o porque parece que son un poco más de lo mismo (otro catecismo). Resultado: los niños no llegan a la catequesis. Muchos catequistas echan la culpa a los niños por no continuar; pero es el método lo que no está bien.

El sacerdote

La organización y la vida de muchas parroquias depende casi totalmente del sacerdote que tengan. Y si él tiene demasiadas demandas pastorales (lo que suele ser la realidad) o si no tiene carisma para tratar a los niños (también suele ser la realidad), entonces no dedicará tiempo para hallar una catequesis adecuada para después de la Primera Comunión. Resultado: en muchas parroquias no hay nada.

Pero, gracias a Dios, se puede romper con estas realidades:

Primer rompimiento

La catequesis no debe ser obligatoria y mucho menos a la fuerza; tiene que ser una experiencia tan vital, libre y divertida, que los niños vayan porque quieren.

Recuerdo a la niña de la Colonia Revolución en la Ciudad de Chihuahua. Sus papás la habían encerrado en la casa con llave porque tenían que salir. Ella rompió el vidrio y salió por la ventana. Subió una barda alta y saltó a la calle. Cuando la catequista lo supo, le preguntó: "¿Y ahora, qué van a decir tus papás?" Ella le contestó: "Es su culpa, ya sabían que tengo que venir a la catequesis los sábados". Cuando a los niños les guste la catequesis, demos por seguro que no van a faltar.

Segundo rompimiento

No existe el libro perfecto para después de la Primera Comunión; y nunca existirá. Para esta etapa de la niñez, los catequistas tenemos que aprender a crear nuestra catequesis, fijándonos en cómo son los niños y tratando de responder a sus exigencias siempre cambiantes. Hay muchos libros que nos pueden dar pistas de cómo armar nuestra catequesis, pero somos nosotros los que tenemos que hacerla.

Tercer rompimiento

La Iglesia no es un asunto del clero, sino de todo el Pueblo de Dios (Vaticano II).
Todos estamos llamados a participar en la vida y en la misión de nuestra Iglesia.

Los más indicados para la misión de formar a los niños son sus propios papás; ellos conocen bien a sus hijos y se preocupan por su crecimiento.

La catequesis depende más de los papás, que del mismo sacerdote. No es un trabajo solitario: a muchos jóvenes y adultos les gustaría ayudarlos en su misión. Curiosamente, al coordinarse con su párroco, los papás empezarán más fácilmente a formar una comunidad junto con él y sus hijos; y, de pilón, el sacerdote se sentiría más apoyado en su vida como también en su trabajo pastoral.

En este libro se ofrecen unas pistas, que son el resultado de más de 15 años de trabajo y son el fruto de muchos catequistas en Chihuahua, en Tabasco y en Oaxaca. Ojalá que este librito te sirva muchísimo para atinar en tu servicio y gozar de él junto con los niños.

[illegible]

Segundo argumento

[illegible]

Tercer argumento

[illegible]

¿Cómo usar este libro?

Es de lo más sencillo. Haz de cuenta que este libro es como los libros de recetas de cocina. Si quieres hacer una sopa o guisar carne o preparar un postre, tienes que buscar el apartado correspondiente: sopas, carnes o postres. En cada apartado encontrarás varias recetas; léelas todas. Después escoge la receta que más se te antoje hacer, ¡y hazla! Las instrucciones te ayudarán bastante… ¡por lo menos te evitarán un fracaso total!

Y con el tiempo y la práctica, cocinarás mejor y hasta empezarás a inventar tus propias recetas. Empezamos… Primero organiza tu calendario de trabajo. Cada mes tiene cuatro semanas; entonces, planea una actividad distinta para cada semana. Por ejemplo usa el siguiente esquema:

1º	2º	3º	4º
Oración comunitaria	Actividad del mes	Tema o servicio	Deporte o convivio

Cuando te toque organizar una oración comunitaria, busca el apartado de oraciones comunitarias en este libro. Ábrelo y lee todas las recetas (o pistas) que están allí. Luego, escoge la que más se te antoje hacer... ¡y hazla! Es todo. También, con el tiempo, llegarás a ser un experto en armar catequesis. Sé creativo. Si quieres presentar un tema, no busques sólo en el apartado de temas, cuentos y dinámicas, sino también en los apartados de juegos y oraciones. La mitad del gusto de ser catequista es planear y preparar los detalles de cada catequesis; la otra mitad es hacerla junto con los niños.

Disfruta cada paso del proceso.

Ahora bien, el esquema mensual tiene su razón de ser: asegurar que se lleven a cabo las actividades que más ayudan a los niños a vivir una fuerte experiencia eclesial a su manera.

Se debe centrar en cuatro aspectos:

1. Vivir en amistad

Como amigos y amigas en el Señor Jesús. Esto es la base de la fe [para lograr esto, cuentas con todas las *actividades;* en especial: *Actividades del mes, deportes y convivios*].

2. Profundizar su fe

No darles más doctrina; con el catecismo ya tienen toda la doctrina que necesitan para toda su niñez. Sólo necesitan seguir reflexionando sobre su vida a la luz de la fe [para esto, puedes disponer de: *Temas y oraciones comunitarias*].

Por cierto, cuando los niños llegan a ser adolescentes, suelen rechazar todo lo que los hace sentirse como niños, incluyendo su modo de entender y de vivir su fe. Cuando llega ese momento, entonces sí hay que darles una nueva catequesis, pero antes no.

3. Comprometerse por su fe

Servir alegremente a los demás [para esto, lleva a cabo alguno de los *Servicios*].

4. Celebrar su fe

Expresar la fe como niños y no como adultos [para esto, emplea: *Oraciones comunitarias* y los *Rezos y oraciones*].

Una aclaración: el esquema del mes no tiene que estar en el orden propuesto: Primero *Oraciones Comunitarias*, después *Actividad del Mes*, etc. Hazlo como te parezca mejor. Es muy conveniente tener un tema un mes y un servicio el siguiente, etc. Varía el modo de hacer tus actividades para que no se aburran los niños. ¡Suerte!

Una recomendación para el catequista: busca por lo menos a otro para que te ayude en tu servicio. Primero, tú lo necesitas. No puedes manejar bien todas las actividades de esta catequesis. No seas como aquella catequista viejita que decía que a los niños de su grupo de catecismo no les gustaba ni jugar ni hacer dinámicas.

¡A los niños les encantaba! Pero a la viejita se le dificultaba el juego, entonces no lo hacía. Si eso te sucede a ti, busca un(a) joven que te ayude sólo con el deporte, el canto o aquello que se te dificulte.

Además, recuerda que por su edad, los niños necesitan del ejemplo de un hombre y las niñas, de una mujer. Forma tu equipo de catequesis.

Temas, cuentos y dinámicas

Cómo elaborar tu propio tema para los niños

Hacer un tema interesante y creativo para los niños es más fácil de lo que probablemente piensas.

¡Hasta te diviertes haciéndolo! Claro, hay que aprender unas cuantas *mañas*. Pero una vez que las aprendes en la práctica, difícilmente regresarás a depender de un libro para dar otra lección a los niños; te sentirás más seguro y libre para crear, cuando se necesita, una catequesis atinada a la realidad de los niños.

Primera maña

El tema tiene que ver con la vida de los niños; no cualquier detalle de su vida, sino algo vital y sentido por ellos.

Fomenta una amistad con los niños. Visítalos en sus casas, pregúntales por su vida y platícales de la tuya. Hagan cosas juntos fuera de la catequesis... y sin caer en la cuenta, te irás encariñando con ellos y ellos contigo.

Así, *siempre* estarás enterado de *lo más importante* de su vida.

Evita imponer tus ideas, por más buenas que sean. Muchas veces la tentación de adoctrinarlos o de concientizarlos será tan grande que te hará caer en el "*pecado pedagógico*": hacer un tema insignificante y aburrido. Si los niños *no* muestran mucho interés en algún aspecto de la vida, es una clara señal de que *no* es el momento para tratarlo.

Segunda maña

El tema tiene que realizarse al modo de los niños: son muy activos, juguetones y, al mismo tiempo, son muy inteligentes y capaces de comprender las cosas rápidamente.

Fomenta que el tema sea una actividad que lleve a una reflexión sobre un solo aspecto de vida de los niños. La actividad debe ocupar la mayor parte de la reunión; la reflexión debe ser muy breve. Salpica el ambiente de las reuniones con las cosas divertidas que les gusten a los niños: juegos, concursos, dibujos, cantos, teatro, etc.

Evita que la reflexión se prolongue mucho. La tentación es "hacerlos entender demasiado bien el tema". Pero los niños no son adultos. Una vez contestada la pregunta, el niño queda satisfecho. En vez de forzarlo a profundizar inútilmente el tema, canaliza su energía en expresar creativamente lo que ha comprendido (por medio de dibujos, teatro, etc.).

Tercera maña

Cada tema debe propiciar un *encuentro con Jesús* y debe animar a los niños a seguir *actuando* como amigos de Él.

Fomenta una oración, sencilla y sentida, que sea una relación personal y grupal con el Amigo Jesús; el fruto de la cual es sentirse llamados y animados a una misión; esto es: a hacer algo –junto con Jesús– por el bien de uno mismo y de los demás. Esta misión debe brotar de la oración y, si se hace, debe ser en libertad y con gusto.

El catequista también forma parte de esta pequeña comunidad eclesial. Si el grupo se pone de acuerdo para hacer una acción en común, el catequista *siempre* debe acompañarlos; si no, no lo harán.

Evita tres cosas:

* que la oración se reduzca a un mal rezo; esto es, repetir palabras sin sentido;
* que el catequista imponga el compromiso que deben hacer los niños, en vez de que salga de ellos;
* que el tema acabe en una mera reflexión sin ningún compromiso.

Cuarta maña

Para desarrollar el tema, se debe usar uno de estos dos métodos:

Método directo	Método indirecto
Un hecho de la vida real de los niños	Un cuento, o una lectura de la Biblia, etc., y una reflexión sobre ello
Una reflexión sobre este hecho	Una reflexión sobre la relación del cuento (o lectura de la Biblia) o la vida real de los niños
Oración y acción	Oración y acción

Unos ejemplos de lo dicho

Los ejemplos siempre sirven para entender mejor una idea.

En seguida hay tres ejemplos del *método directo* y otros tres del *método indirecto*. Cada uno es distinto del otro, para darte más ideas de cómo hacer un tema. Aprende a ser *un mago* de los temas. Usa tu creatividad y… ¡disfrútalo junto con los niños!

Al final de esta sección, hay algunos cuentos y unas sugerencias.

Ejemplo 1 (método directo)

Para usar cuando no conoces la realidad de los niños y quieres descubrirla

(1) Actividad

Divide a los niños en dos o tres grupos. Cada grupo preparará una obra de teatro que mostrará uno o dos de los problemas más importantes de su escuela (o casa, barrio, comunidad, iglesia, etc.)

* dales un tiempo límite para preparar y ensayar sus obras
* y un tiempo para la presentación de las obras.

(2) Reflexión

(es fácil hacerla con dos o tres preguntas)

* De todos estos problemas, ¿cuál los hace sufrir más? ¿Por qué?
* ¿Qué personas o cosas están causando este problema? ¿Por qué?
* ¿Qué cosas pueden hacer ustedes para mejorar esta situación?

(3) Oración- Acción

Hay que crear un ambiente para orar.

Por ejemplo, cambia de lugar; busca un lugar un poco apartado de donde han estado trabajando. Siéntense en círculo. Pongan un símbolo que representa a Jesús en medio.

Ayúdalos a ser conscientes de que Él está presente, que los quiere y los ayuda siempre.

1. Dejar que cada niño pregunte a Jesús –en silencio– lo que debe hacer para mejorar el problema en su escuela: una sola acción.
2. Enséñales a escuchar su corazón: Si van a actuar por amor y sienten paz en su corazón, es cosa del Señor.
3. Ofrece una hoja y colores a cada niño. Invítalos a dibujar lo que piensan hacer.
4. Al terminar, cada niño –uno por uno– va a mostrar y explicar su dibujo. Después de la presentación de cada niño, todos rezarán: "Ayúdalo, Señor, a mejorar su mundo".
5. Luego, todos se toman de las manos y rezan el Padrenuestro.
6. Se puede tener un canto relacionado con el tema.

Ejemplo 2 (método directo)

Para usar cuando hay un hecho de vida, muy claro y sentido por los niños.

Hecho triste:	Hecho alegre:
La enfermedad o muerte de un familiar de uno de los niños	Una actividad en común que les salió muy bonita
Sentarse en círculo. Dejar que cada niño diga lo que siente	Evaluar su actividad: ver lo positivo, lo negativo y las sugerencias para mejorarla en el futuro
Actividad: Explicarles que en la Biblia hay muchos ejemplos de cómo Dios consolaba a la gente que sufría	*Actividad:* Explicarles que la actividad salió bien porque todos participaron; sólo así sale bien
Van a dividirse en grupos para leer la Biblia: Salmo 23 (*El Señor es mi pastor*) Salmo 42 (*Como ciervo sediento*)	Cada niño debe escribir su propio nombre en tres papelitos; luego ponerlos en un frasco
Cada niño escogerá la parte que más lo consolaba y animaba	Después, cada niño tomará del frasco tres papelitos de otros niños
Luego, deben compartirla en grupo y explicar por qué la habían escogido	Atrás del papel, escribirá una cosa buena que hizo aquella persona para que la actividad fuera un éxito. Luego se lo entregará a él. Leer todos sus papelitos en grupo
Oración-Acción:	*Oración sobre su acción:*
Ponerse en presencia de Jesús. Dejar que todos le pidan por la persona enferma (o muerta) y su familia	Sentarse en círculo; ponerse en presencia de Jesús
Al final, redactar todos juntos una carta para consolar a los dolidos	Pensar todos –en silencio– cómo estuvo presente Jesús con ellos durante toda su actividad; luego, compartir sus ideas
Planear una visita a la familia para entregarle la carta y estar presentes un rato con ellos (u otra actividad)	Dar gracias a Jesús por su amistad y por la amistad entre ellos. Terminar con un canto relacionado con el tema y un pequeño convivio

Ejemplo 3 (método directo)

Para usar cuando hay un hecho de vida que causa polémica y divisiones.

(1) Actividad

Dividirlos en grupos de tres o cuatro niños. Cada grupo tendrá que hacer "una investigación" sobre un mismo problema del pueblo. Hay dinámicas para hacer esta investigación; por ejemplo:

❖ Dinámica de los reporteros

Darles un tiempo límite durante el cual cada grupo tiene que hacer "entrevistas" a distintos adultos del pueblo o del barrio, pidiéndoles su opinión sobre el problema. Gana el grupo que tenga más opiniones distintas. Se les puede dar un premio (dulces).

❖ Dinámica de los recortes de revistas

Se da una cartulina, muchas revistas y pegamento a cada grupo. Tendrán un tiempo límite para expresar por medio de recortes de revistas las *distintas* opiniones de gente del pueblo o del barrio sobre el problema. Cuando terminen, cada grupo mostrará y explicará su cartulina. Gana el grupo que exprese mejor las distintas opiniones. Puede haber un premio.

(2) Reflexión

❖ Dinámica de las calificaciones

En la escuela, los adultos califican a los niños; ahora los niños van a calificar las opiniones de los adultos. Si una opinión cumple con el mandamiento nuevo de Jesús, sacará una buena calificación; si no, sacará una mala, o puede hasta ser reprobada. (Leer Juan 13, 34-35)

* Reunirse en los mismos grupos. Cada grupo calificará solamente las opiniones de sus entrevistas (o de su cartulina); darles un tiempo límite para hacer este trabajo.

* Después, cada grupo presentará sus calificaciones y explicará cada una de ellas. Los demás niños pueden opinar y modificar la calificación si es necesario; el catequista será el árbitro.
* Explicarles que, como un niño puede reprobar una materia en la escuela, así también los adultos –igual que los niños y jóvenes– pueden equivocarse en sus opiniones. Es humano equivocarse, pero es divino reconocer nuestros errores y tratar de corregirlos.

(3) Oración-Acción

* Crear un ambiente para orar.
* Hacer peticiones espontáneamente por todas las personas implicadas en el problema.
* Tomarse de las manos y repetir todos juntos el mandamiento nuevo de Jesús.
* Terminar con un canto.

Ejemplo 4 (método indirecto)

Para hacer conscientes a los niños de las consecuencias de sus acciones y para animarlos a actuar positivamente en las vidas de los demás.

(1) Contarles un cuento
(De un modo animado e interesante)

El encuentro en la tienda

Hace tiempo que la familia de Goyo llegó a vivir a nuestro pueblo (barrio o rancho). Su papá era albañil, pero hacía de todo. Buscaba chamba donde podía. Por un tiempo, se iba muy temprano todas las mañanas y regresaba a casa muy noche. Andaba contento y jugaba con Goyo. Pero, de repente, aceptó trabajitos fuera del estado y duraba separado de su familia semanas enteras. Regresaba a casa de mal humor y se peleaba mucho con la mamá de Goyo porque siempre hacía falta dinero en la casa. Ahora su papá ha empezado a emborracharse.

Esto empeora la cosa. Cada vez que sus papás empiezan a pelear, Goyo huye de la casa. Ha tratado de buscar nuevos amigos, pero los demás niños no le hacen caso porque no es del pueblo. No le hablan; nunca lo invitan a sus casas y mucho menos a sus fiestas. Ni lo invitan al catecismo. Y el día en que Goyo fue al catecismo nadie le habló; no le prestaron sus colores, no lo invitaron a jugar con ellos.

Aquel día Goyo se fue del catecismo tan triste que hasta pensó que tampoco Dios lo quería. Pero, un día, Goyo iba a la tienda y te encontró a ti… (¡ojo! el resto de esta historia depende de ti. Si tú actúas bien, Goyo va a estar bien. Si actúas mal, ¡Goyo se va a poner más mal!)

(2) Actividades para ayudarlos a reflexionar sobre su vida

Dividirlos en dos grupos. Un grupo inventará un final triste para esta historia: uno donde ellos también rechazan a Goyo. El otro grupo inventará un final alegre para esta historia: uno donde ellos ayuden a Goyo. Cada grupo organizará una obra de teatro para representar su cuento.

Después de la presentación de las obras, hacer una reflexión todos juntos con las siguientes preguntas:

¿Conocen ustedes a niños que no son del pueblo o del barrio? ¿Son sus amigos? ¿Por qué? ¿Qué podrían hacer para que se sintieran como parte del pueblo? Si quieren, hagan un dibujo de la historia de Goyo.

(3) Actividades para ayudarlos a orar

* Dinámica: Seguir con los mismos dos grupos. Los niños de cada grupo visitarán “de carrera” las casas de cada uno de su grupo.
* Después, cada grupo hace un mapa del pueblo o del barrio y dibuja las casas de todos los niños de su grupo y pone su nombre junto a la casa. (Sería bueno dar un premio para el mejor mapa.)

* Pegar los mapas en la pared. Cada grupo debe escribir una petición o una acción de gracias por cada miembro del otro grupo: deben tener un papelito por persona.
* Oración: Colocarse todos alrededor de los dos mapas. Ponerse en presencia de Dios. Turnarse cada grupo a pedir por uno del otro grupo. Uno del primer grupo toma uno de sus papelitos y lee en voz alta la petición (o acción de gracias) por uno del otro grupo. Inmediatamente después él mismo debe pegar el papelito junto a la casa del niño, la cual está dibujada en uno de los dos mapas. Luego, uno del segundo grupo hará lo mismo por uno del primer grupo. Sigue así hasta que el último niño haga su petición (o acción de gracias).
* Hacerlos conscientes de lo bonito que es ayudarse unos a otros como nos ha enseñado Jesús. Terminar con la oración de san Francisco de Asís y un canto relacionado con el tema.

Ejemplo 5 (método indirecto)

Para ayudarlos a enfrentar sus sentimientos y manejarlos con más claridad y paz.

(1) Contarles un cuento

El miedo de Fredy

Aunque hacía calor, Fredy sintió frío y todo su cuerpo estaba temblando. Estaba tirado en el suelo y rodeado por un grupo de chavos. Uno de ellos lo amenazaba ahora con un cuchillo y le dijo: Mira, c… si le dices a alguien que somos nosotros los que estamos robando en las casas del barrio, te vamos a fregar a ti y a toda tu familia, empezando con tu hermanita chiquita. Los ojos de Fredy se abrían de susto y ahora él temblaba más fuertemente. Con la cabeza Fredy les mostraba que comprendía lo que le decían y que los iba a obedecer. Con esto, se fueron los demás y Fredy se quedó solo.

* ¿Qué sentirá Fredy ahora?
* ¿Qué iba a hacer?
* ¿Cómo terminará su historia?

Reflexión sobre el cuento:

* Dividirlos en dos o tres grupos.
* Contestar cada grupo las tres preguntas.
* Hacer cada grupo una obra de teatro para presentar su versión de la historia de Fredy.
* Reflexionar todos juntos:
* ¿En cuál de las obras de teatro actuó Fredy más como verdadero cristiano y amigo de Jesús?
* ¿Por qué?

Citas bíblicas

Escoger una para orientar más la reflexión:

* Juan 8, 32: "La verdad los hará libres".
* 1 Corintios 6, 12: "Se dice: 'Yo soy libre de hacer lo que quiera'. Es cierto, pero no todo conviene. Sí, yo soy libre de hacer lo que quiera, pero no debo dejar que nada me domine".
* Proverbios 13, 20: "Júntate con sabios y obtendrás sabiduría; júntate con necios y te echarás a perder".
* Proverbios 17, 17: "Un amigo es siempre afectuoso, y en tiempos de angustia es como un hermano".

(2) Reflexión sobre su propia vida

¿Alguna vez se han sentido presionados por otros para hacer algo que no querían hacer? ¿Cómo se sentían? ¿Qué hicieron?

Si pasara lo mismo otra vez , ¿actuarían del mismo modo o no? ¿Por qué?

Hacer cada quien un dibujo de qué haría si otros trataran de presionarlo a hacer algo que no quiere hacer. Abajo del dibujo, escribir en una sola frase lo que más aprendió del tema de hoy.

(3) Oración-Acción

Sentarse en círculo. Cada uno leerá la frase que escribió. Ponerse en presencia de Jesús y decirle lo que sienten en sus corazones. Terminar con un rezo breve y un canto.

Ejemplo 6 (método indirecto)

Para fomentar un dinamismo positivo en las vidas de los niños.

(1) Lectura de la Biblia

Leer Lucas 6, 43-45 (El árbol se conoce por su fruto). Decir en sus propias palabras lo que entendieron de esta lectura.

(2) Reflexión sobre su vida

Dividirlos en tres grupos. Cada grupo tendrá un tiempo límite para hacer dos listas: una de las buenas acciones de los niños (fruto bueno) y otra de las malas acciones (fruto malo). Cuando terminen, leer en voz alta lo que han escrito los tres grupos. Preguntarles: Y las acciones de ustedes, ¿qué son: frutos buenos… o malos… o un poco de las dos cosas? Dejarles explicar cuándo es fácil dar frutos buenos… y cuándo es difícil. ¿Por qué? ¿Quién los ayuda a dar frutos buenos? ¿Cómo?

(3) Oración acción

Actividad para preparar su oración

* Trabajar en los mismos tres grupos.
* Dos grupos harán un mural; uno de las buenas acciones de los niños y el otro de las malas. Se puede colorear una hoja grande de papel.

* El tercer grupo hará "un árbol": buscar o dibujar una rama de tamaño regular que tenga el mismo número de ramitas que niños del grupo; meter el árbol en un bote con tierra. Hacer un letrero para cada niño; escribir su nombre y pegarlo en cada ramita. Hacer otro letrero que diga "Jesús" y pegarlo en el tronco. En papel rojo o naranja, cortar unos círculos; uno para cada niño.

Sentarse en semi-círculo alrededor del árbol; poner detrás del árbol los murales de las buenas y malas acciones. Darle a cada niño un círculo de color y dejarlo escribir sobre él las acciones buenas que ha hecho durante la semana.

* Ponerse en presencia de Jesús.
* Leer Juan 15, 5 y dejarlos explicarlo en sus propias palabras.
* Dejar que cada niño, uno por uno, pegue su fruto a la rama que le toca. Debe leer lo que tiene escrito sobre el círculo. Luego, todos contestarán: "Gracias, Jesús, por ayudarnos a dar frutos buenos".
* Después, se puede terminar con una pequeña oración para pedirle a Jesús que siempre estemos unidos a él, y un canto.

Más cuentos para los temas...

(1) Cuento: Un regalo para Julia

(Es un cuento para hacer reflexionar sobre la amistad. Fue utilizado en una misión de niños durante la Semana Santa en Sta. María Coyotepec, Oaxaca. Luego de narrarlo y reflexionar sobre él, se representó el cuento y después hubo un concurso de dibujo sobre lo que más les gustó del cuento.)

Es el cumpleaños de Julia; hoy cumplió 9 años. Y todo este día ha estado muy feliz porque sus papás le dejaron organizar una fiesta en casa. Julia había invitado sólo a sus mejores amigas. Y ya sólo faltaban unos minutos para que llegaran.

La primera amiga que llegó fue Griselda y le regaló a Julia unos dulces muy ricos. (¿Cuáles son los dulces favoritos de ustedes?)

La segunda fue Anita y le trajo un regalo envuelto; era muy grande, pero plano. A Anita le gustaba jugar y les dijo que todos tenían que adivinar qué era. Todos dijeron algo, pero nadie pudo atinar. (¿Qué creen que estaba envuelto?) Por fin, lo abrió Julia y descubrió un bonito rompecabezas. Anita se rió y les dijo: "Si ya sabían que me gustaba jugar tanto, hubieran pensado que era algún juego, ¿no?"

En eso llegó Clara y le regaló a Julia un casete de su cantante favorito. (¿Quién es su cantante favorito?)

Pasaba mucho tiempo y todavía no llegaba su mejor amiga. Comían todas del pastel que les había preparado la mamá de Julia. Todas estaban contentas, menos Julia. Dentro de su corazón sentía una gran preocupación. Su mejor amiga era Begoña, pero era mucho muy pobre. Julia pensaba que ya no iba a venir por pena, porque ella no tenía dinero para comprarle ningún regalo. Julia pensó: ¡Qué tonta fui! Les hubiera dicho a todas que no me regalaran nada, así Begoña habría venido con gusto. Julia sentía que su fiesta no era una verdadera fiesta sin su mejor amiga.

Pero en eso llegó Begoña, que trajo una enorme caja cubierta con mil flores de papel que ella había pegado a la caja con engrudo. Arriba de la caja estaba un papel que decía: "Para Julia, mi mejor amiga... te regalo lo mejor que puedo darte". (¿Qué creen que era?)

Julia abrió la caja con muchísimo cuidado. Una vez abierta, todos se asomaron para ver lo que había dentro y sólo encontraron siete papelitos. En cada papelito estaba escrita una letra distinta. Las letras eran: T-S-D-A-M-I-A. Begoña le dijo a Julia que formara una palabra con estas letras y que así descubriría cuál era su regalo. [Dejar que los niños lo hagan hasta que formen la palabra: *Amistad.*]

Cuando Julia vio la palabra *Amistad*, abrazó a Begoña y le dijo que de verdad era el mejor regalo, que además dura para siempre. Julia se sintió tan contenta que, en vez de guardar los regalos para ella sola, empezó a compartirlos: todos comían los dulces y escuchaban el casete mientras que armaban el rompecabezas.

Uno siempre vive feliz si tiene amigos, ¿no creen?

(2) Cuento: El zapatero

(Es un cuento para hacer reflexionar sobre la presencia de Dios en la vida de los niños. Reflexionarlo después a la luz de Mateo 25, 31-46.)

En un barrio de la ciudad vivía un zapatero. Era un hombre ya grande de edad que vivía solo; era pobre en dinero, pero rico en fe y en amor.

Una noche oyó que alguien estaba tocando a la puerta. Cuando la abrió, se sorprendió al ver a un hombre extraño que le dijo:

"Zapatero, tengo buenas noticias para ti de parte de Dios. Él ha visto todo el bien que has hecho a los demás. Por eso, va a visitarte mañana aquí en tu casa. Soy un ángel de Dios y lo que digo es la verdad." Luego desapareció.

Al principio, el zapatero no pudo ni moverse por el susto. Luego se llenó de alegría. No pudo dormir. Se quedó toda la noche limpiando su cuarto y pequeño taller. Muy temprano fue al mercado y gastó todo su dinero en víveres. Cuando regresó a casa, preparó un delicioso y abundante desayuno. Puso más leña en el fuego porque estaba haciendo mucho frío; luego, se sentó para esperar la venida de Dios.

De repente, se oyeron toques en la puerta. El zapatero, de un brinco, llegó a la puerta y la abrió. Era un obrero; iba de camino a su trabajo, cuando se le zafó la suela de su zapato. El obrero le pedía que lo arreglara cuanto antes para no llegar tarde a su chamba. El zapatero rápidamente lo hizo; quería estar libre para la visita de Dios. Se fue contento el obrero.

De pronto se oyó otro toquido en la puerta. Al abrirla, vio a una mujer que venía a recoger sus zapatos; era el único par que tenía. Pero, cuando el zapatero se los entregó, ella le dijo que no tenía dinero para pagarle. Al ver que andaba descalza, el zapatero sintió mucha compasión por ella. Se los entregó y le dijo que no se preocupara por pagarle ahora. La mujer no supo cómo agradecerle; se puso los zapatos y se fue feliz.

Después, no llegó nadie por un largo tiempo. El zapatero se puso a trabajar como siempre. En esto, alguien tocó en la puerta. El zapatero pensó que esta vez tenía que ser Dios. Cuando abrió la puerta, ahí estaba un borracho. El zapatero no supo qué hacer. Pero antes de que pudiera pensar, el borracho entró en el taller; se acostó en una esquina y se quedó profundamente dormido. Al principio el zapatero estaba molesto, pero al verlo tan maltratado, lo dejó en paz y empezó a trabajar de nuevo. Cuando menos esperaba, se despertó el borracho: se levantó, le dio las gracias por dejarlo estar en su casa y se fue de buen humor.

En eso, se abrió la puerta y se metió un niño travieso dentro del taller. El zapatero trató de correrlo, pero sin éxito. Entonces, volvió a su trabajo. El niño se le acercó y el zapatero le enseñó cómo remendar los zapatos. Le dio unos zapatos viejos para que pudiera practicar. El niño pasó toda la tarde callado y entretenido. Cuando se hizo tarde, el niño se despidió con mucho cariño y regresó a su casa.

Ahora el zapatero sentía hambre; ya era muy tarde y no había comido en todo el día por esperar a Dios. En eso, alguien tocó suavemente en la puerta. El zapatero abrió rápidamente. Allí estaba la vecina con sus cuatro hijos. Ella le explicó que no tenía leña para cocinar y que sus hijos ya tenían mucha hambre. Él los invitó a pasar a su casa y a comer con él porque este día tenía suficiente comida para todos; recalentó el desayuno y todos comieron muy a gusto. Cuando terminaron, los vecinos se fueron felices y el zapatero quedó solo.

A la medianoche, el zapatero se cansó de esperar. Estaba triste y se sentía engañado por el ángel. Apenas había apagado la luz del taller cuando oyó toques a la puerta. Era el ángel. El zapatero se molestó mucho con él; le contó cómo había esperado todo el día la visita de Dios. Lo había hecho porque creyó en las palabras del ángel. Pero ya sabía que el ángel era un mentiroso porque nunca llegó Dios.

(¿Qué creen que le contestó el ángel?)

El ángel le dijo: "Bueno… ¿pero cómo dices esto? Dios vino cinco veces a tu casa hoy. Le encantó cada visita y se fue siempre muy feliz. Y vengo ahora porque Dios mismo me mandó para agradecerte por todo lo que le hiciste hoy". Antes de que el zapatero pudiera hablar, el ángel desapareció.

(¿Qué quería decir el ángel con estas palabras? ¿Cómo se sentía el zapatero ahora?)

(3) Cuento: La triste historia de Jaime

GUIÓN PARA TÍTERES (Es un cuento para hacer reflexionar tanto a los papás como a los niños acerca de sus relaciones entre sí. Este guión se utilizó para un convivio de niños y sus papás en la Parroquia de San José-Los Remedios, Tabasco).

1. Presentación del personaje de Jaime

Jaime saluda a todos. Muestra la casa en la ranchería donde viven él y su familia.

2. Presentación de la familia de Jaime

a) El papá: es campesino y tiene su terrenito, pero trabaja de obrero en la ciudad. Nunca está contento con Jaime: lo manda a trabajar al campo, pero nunca está

conforme con lo que hace, tampoco con sus calificaciones en la escuela.
b) La mamá: una escena donde ella está viendo la telenovela. No escucha a Jaime, se enoja porque la está molestando durante su programa de T.V., lo manda a hacer varios quehaceres y, después, lo manda fuera de la casa. Al terminar la telenovela, se molesta porque Jaime no está en la casa cuando ella quiere.
c) El hermano mayor: lo maltrata, no le presta sus cosas, no quiere que Jaime ande con él, dice que Jaime "no sirve para nada".

3. Presentación de Oso

Pero Jaime tiene un amigo que lo quiere mucho... es su perro... se llama Oso. Le gusta estar siempre con Jaime, lo sigue a donde vaya, le da cariño y lo consuela cuando los demás regañan a Jaime y, claro, le gusta jugar con Jaime. Jaime quiere mucho a su perro. Lo lleva a la escuela o a trabajar en el campo, le da de comer de su propio plato (aunque esto molesta a su mamá), le quita las pulgas, lo baña y le da mucho cariño.

4. Reacción de la familia ante el perro

- **El papá:** se molesta porque el perro ladra y anda muy juguetón.
- **La mamá:** se molesta porque Jaime le da de comer.
- **El hermano mayor:** le da patadas al perro porque le estorba.

5. Reacción de Jaime

Dice: "Pues ya conocen a mi familia... son buenas gentes... pero... ¡Cómo me gustaría que me dieran un poquito más de cariño! Claro, no pido que me quieran tanto como mi perro me quiere, pero –eso sí– me sentiría mucho más feliz si me mostraran un poco más de amor. Les cuento la verdad... a veces me siento muy mal porque pienso que nadie me quiere... todo lo que hago está mal, todo lo que digo está mal, nadie tiene tiempo para escucharme o para jugar conmigo o para ser mi amigo. Bueno, sí tengo un amigo: Oso. Yo sé que me quiere, me comprende, sé que quiere estar conmigo y hasta escucharme. Me gustaría que mi familia me quisiera tanto como Oso, para que yo pudiera amarlos tanto como quiero a Oso. ¿Saben una cosa?, es muy fácil amar a una persona que te quiere, pero es muy difícil querer a alguien que no te muestra cariño… ¿Estás de acuerdo, Oso?" (Se abrazan.)

6. Los otros amigos de Jaime

Jaime dice: "También tengo otros amigos: mis compañeros de la escuela; me siento muy bien con ellos:

* me invitan a jugar,
* no se burlan de mí,
* se preocupan por mí cuando tengo un problema o cuando estoy triste,
* les cuento mis cosas y me escuchan y compartimos todo lo que tenemos…
* por eso, me gusta andar con ellos."

7. El encuentro de Jaime y una religiosa

Un día una religiosa estaba visitando la ranchería donde vivía Jaime y vio cómo su familia lo maltrataba (escena del maltrato y, después, la escena de Oso consolando a Jaime).

La religiosa se acercó a Jaime y se puso a platicar con él: "¿Cómo te llamas?", etc.

"Mira, Jaime, a veces todos nos sentimos muy solos y tristes y pensamos que los demás no nos quieren porque, a veces, nos tratan bruscamente… Pero los demás nos quieren mucho más de lo que pensamos; desgraciadamente, muchas veces no saben mostrarnos su amor. Por ejemplo, *tu familia: tu papá* trabaja más de ocho horas cada día para ganar dinero para que *tú* puedas comer, vestirte e ir a la escuela… *lo hace por ti,* porque te quiere de verdad. Pero muchas veces tu papá no te demuestra su cariño porque *no sabe* cómo hacerlo o porque él tiene sus propios problemas: él *trabaja mucho,* pero *le pagan poco...* claro que *se siente mal...* por eso, tantas veces anda de malas y toma para olvidar por un rato lo mal que se siente.

Tu mamá te quiere muchísimo... Piensa, cuando *tú* estás enfermo, ella siempre está contigo, se preocupa por ti, te lleva al médico... es más, deja todo para cuidarte hasta que estés bien, ¿no es cierto? Pero ella también tiene sus propios problemas: trabaja todo el día, hace la comida, lava los platos, limpia la casa, lava y plancha la ropa de todos... hace *todo* en la casa... y *nadie* nunca le da las gracias, nadie le paga nada por su trabajo... pero todo el mundo se queja cuando no le gusta lo que ella hace y, claro, se siente mal.

Y, además, casi no sale de la casa; tu papá casi nunca la lleva a pasear. Ella se siente sola y aburrida (todos los días hace *lo mismo* en la *misma casa* y con la *misma gente*)... por eso, ella también anda de malas o trata de ver tantas telenovelas para olvidarse de sus propios problemas.

Tu *hermano mayor* ya no es un niño y le molesta andar con niños; por eso, no quiere andar contigo. No es porque no te quiera, sino porque prefiere estar con gente de su propia edad. Lo mismo te va a pasar a ti, cuando *tú* seas más grande... ¡Vas a ver!

Desgraciadamente, los mayores siempre andan muy ocupados. Tienen que hacer muchas cosas y no tienen tiempo para ser amigos de los niños. Pero *tu familia* te quiere, Jaime. Sólo tienen sus propios problemas y no saben muy bien cómo mostrarte su cariño. Compréndelos, Jaime. Si los comprendes, puedes amarlos mucho.

8. Diálogo de Jaime con su perro

Después, Jaime se queda solo pensado en todo lo que le había dicho la religiosa. Y le dice a su perro:

"Si los mayores tienen tanto tiempo para hacer muchas cosas... ¿por qué no dan un poco de su tiempo para ser amigos de los niños? ¿Lo entiendes? (el perro mueve la cabeza para decir: no)

Es más bonito tener un amigo que hacer muchas cosas, ¿no lo crees? (perro: sí)

Entonces, ¿por qué los mayores no dan más de su tiempo para ser amigos de los niños? ¿Lo entiendes? (perro: no)

Pero tú sí eres mi amigo, ¿verdad?" (perro: sí)

Luego Jaime abraza a su perro y dice:

"Me gustaría amar a mis papás como te quiero a ti."

La noche de la tragedia

Una noche Jaime regresaba tarde a su casa... Cuando... de repente un borracho trató de atacarlo con un machete. Jaime estaba tan sorprendido y asustado que no pudo moverse... El borracho agarró a Jaime por el brazo y estaba levantando el machete para pegarle en la cara...

Al instante Oso brincó para defender a Jaime... Ladraba y ladraba con toda su fuerza... mordía el brazo y la cara del borracho, hasta que lo tumbó...

Pero... los ladridos de Oso habían despertado a los vecinos... fueron enojadísimos a reclamar a los papás de Jaime (escena violenta de enojo entre los vecinos y los papás de Jaime). Al final, dice el vecino:

"Van a ver, ¡Voy a matar a ese perro!"

Y la vecina dice:

"Si tú no lo haces, ¡yo misma lo haré mañana!"

Al irse los vecinos, los papás regañan a Jaime por tener ese perro. Le dice su papá:

"Voy a deshacerme de ese perro mañana... y va a ser para siempre." Su mamá apoya a su marido y manda que Jaime saque el perro de la casa de inmediato.

Al sacarlo, Jaime ve que el perro está herido por un machetazo... llora por él; lo abraza y lo cura. Oso le agradece... le lame la cara. Jaime lo manda a dormir fuera de la casa. Platica con él con mucho cariño, le dice lo mucho que lo quiere, le agradece por haberle salvado la vida, le dice que nunca ha tenido un amigo tan bueno como él y le dice que lo quiere ver sano muy pronto. Le da unos consejos:

"Tienes que cuidarte para sanar, debes dormir, no debes moverte mucho por las heridas… y, sobre todo, no ladres para no causar más problemas."

En la mañana, al despertar, Jaime no encuentra a su perro. Lo busca por todos lados alrededor de la casa, pero no lo encuentra. Por fin, su mamá, enojada, lo manda a la escuela.

En la escuela, Jaime está muy triste. Sus amigos le preguntan qué le pasa. Jaime les explica todo. Ellos lo escuchan y le dicen que lo van a ayudar a encontrar a Oso… Todos al salir de la escuela van en busca de Oso.

Después de una larga búsqueda, lo encuentran todo golpeado y casi muerto. *El perro muere en los brazos de Jaime* (mientras Jaime le pide que no se muera… ¡que no se muera!… porque va a quedarse solo). Lo entierran con oraciones y se van en silencio.

Jaime, triste e inconsolable, le cuenta a su familia que su perro había muerto. La reacción de sus familiares fue así:

"¡Qué bueno que ya se murió ese perro que no sirvió para nada… sólo sirvió para molestar a los demás!"

Jaime se va y llora a solas. Pasaba todos los días muy solo y triste. Pero un día llegan sus amigos de la escuela y le dicen:

"Mira, Jaime, tenemos una sorpresa para ti." Y le enseñan un perrito muy alegre y juguetón. Le dicen que es suyo y que lo puede guardar en la casa de uno de ellos para que no tenga ningún problema con su familia…

Dejan solo a Jaime con el perrito. El perro le lame la cara y Jaime se pone contento y dice:

"No sé qué haría sin mis amigos… ¡Gracias, mi padre Dios, por regalarme unos amigos de verdad!"

Unos días después, Jaime está en la catequesis y oye a la religiosa leer unas palabras de Jesucristo:

"En verdad les digo que si ustedes no cambian y se vuelven como niños, no van a entrar en el Reino de mi Padre Dios."

La religiosa les pregunta:

"¿Entienden ustedes estas palabras de Jesús?"

Inmediatamente, Jaime se para y le dice:

"Ahora entiendo bien lo que dijo Jesús. Si no somos amigos, no podremos entrar en el Reino de Dios, porque solamente los que aman pueden hacerlo."

Señala a sus amigos de la escuela y dice:

"Cuando yo estaba solo y triste y con un problema muy grande… estos niños, mis compañeros de la escuela, me escucharon y me ayudaron… sólo ellos y nadie más. Para entrar en el Reino de Dios hay que ser como ellos… *¡Hay que ser amigos de verdad!*"

Unas sugerencias para sus temas…

Para hacer un cuento

* Escoge una cosa que sienten los niños: miedo, rencor, celos, envidia, rechazos, amor, opresión, ser utilizados, baja autoestima, pobreza, satisfacción, etc.
* O escoge una acción problemática para ellos: robar, decir mentiras, drogarse, pelearse con los mayores, estar enfermo, perder, vivir enmedio de un conflicto, etc.
* O piensa un mensaje que quieres que los niños reflexionen.
* Después inventa a un personaje para tu cuento.
* Luego haz una historia acerca de él (cómo actúa ante las circunstancias de la vida y qué siente); haz la historia "de acción y de emoción" para no perder el interés de los niños.

Para hacer una dinámica

* Tener muy claro un solo objetivo que quieres lograr con los niños (que descubran cómo andan sus relaciones con los demás de su familia o escuela, que comprendan bien una idea o un mensaje, que expresen lo que piensan, que se hagan conscientes de una necesidad que tienen, que analicen una situación, etc.).
* Pensar en algo divertido –como un juego– que puedes hacer con los niños para lograr tu objetivo (rompecabezas, caminar amarrados, o con los ojos tapados o guiados por otros, adivinanzas, hacer teatro o títeres o mímica o muñecos, concursos, dibujar, buscar y hallar algo escondido, hacer un análisis con fichas o con recortes de periódicos, poner un grupo en competencia con otro, inventar letras para canciones, poner disfraces, formar círculos y hacer actividades con ellos, mensajes secretos, bailes, imitar instrumentos musicales o animales, trabajos manuales, etc.).
* Cada dinámica debe tener su breve reflexión.
* Variar las actividades de cada reunión para que no se aburran los niños.

JUEGOS

(1) Toque-toque

Todos deben formar un círculo, abriendo bastante las piernas y haciendo que cada pie toque el pie de la persona de al lado.

Así se formará un círculo con muchas porterías. Uno está en el centro del círculo y tiene la pelota. Lanza la pelota y trata de meter gol en cualquiera de las porterías. Cada uno del círculo es portero y con sus manos trata de evitar que la pelota pase entre sus piernas. Si la persona en el centro logra meter el gol, entonces cambia de lugar con el portero que falló y empieza el juego otra vez.

(2) Futbol de trapeador

Se divide el grupo en dos equipos con igual número de participantes. (Si sobra uno, éste le ayudará al que está organizando el juego). Los dos equipos se ponen en fila frente a frente. Enmedio de ellos se ponen dos escobas y un trapeador. Se ponen las dos porterías lejos y se enumeran los miembros de cada equipo según el esquema de abajo. El que organiza el juego dirá un número y los dos jugadores con el mismo número corren, agarran una escoba y tratan de meter el trapeador en la portería de su equipo. El que lo mete primero, gana un punto para su equipo. El equipo que tiene más puntos al final gana el juego. (Ojo: No deben pisar el trapeador ni lanzarlo por el aire.)

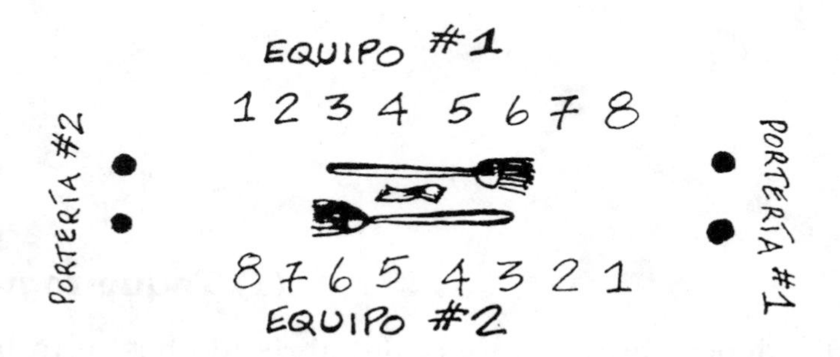

(3) viaje de modas

Todos deben formarse en dos filas paralelas de igual número de personas; los hombres en una fila y las mujeres en otra. Delante de cada fila se pone una bolsa con ropa de tamaño grande. Las dos bolsas deben tener igual número de prendas.

Cuando se indique, las primeras personas de cada fila tienen que sacar la ropa de la bolsa y ponérsela encima de la ropa que llevan puesta. Después tienen que correr a una meta señalada y regresar a su fila. Luego, se quitan la ropa y el siguiente en la fila se la pone y se repite la carrera... hasta que hayan participado todos los de la fila.

Gana la fila que termine primero.

(4) Ensalada de frutas

Se sientan todos en círculo y cada uno debe tener una silla.

El que dirige el juego se pone en el centro. A cada uno le da el nombre de una fruta. (Por ejemplo: si son quince niños, bastan tres frutas. A uno le dice que es manzana, al siguiente pera, al siguiente mango, al siguiente manzana... hasta que sean cinco manzanas, cinco peras y cinco mangos. El que dirige el juego también va a jugar y debe darse el nombre de unas de estas frutas.)

Se juega así: El del centro dice: "Quiero una *ensalada de mangos*", entonces todos los que son mangos tienen que levantarse de su silla y buscar otra. Si el del centro es mango, entonces también tiene que buscar donde sentarse. Al terminar, el que no tenga silla, se pone en el centro y dirige el juego.

Pero el del centro también podría decir que quiere una ensalada de cualquiera de las otras frutas, o una mezcla de frutas (por ejemplo: *mango y manzana*) o una *ensalada de frutas*. Cuando dice esto último, todos tienen que levantarse y buscar otra silla donde sentarse. El juego termina cuando se cansan todos.

(5) Cortar el pastel

Se forma un círculo, todos tomados de las manos. Una pareja, también de la mano, camina alrededor del círculo por fuera. De repente la pareja "corta el pastel"; esto es, toca con fuerza las manos juntas de dos personas del círculo. Al hacer esto, mientras que la pareja corre rápidamente alrededor del círculo, las otras dos personas "forman otra pareja" y también corren agarrados de la mano alrededor del círculo, pero en la otra dirección. La pareja que llega primero al hueco en el círculo, gana y forma parte del círculo. Ahora le toca a la pareja perdedora "cortar el pastel". Se termina el juego cuando todos se cansan.

(6) Gallo-gallina

Enmedio de un espacio amplio, se marca una raya y los niños (gallos) se forman por un lado y las niñas (gallinas) por el otro. A la misma distancia de la raya deben marcar los "refugios": uno del lado de los gallos y otro del lado de las gallinas.

Tanto los niños como las niñas deben estar en fila india mirando al que dirige el juego; deben estar a una distancia donde gallos y gallinas casi puedan tocarse.

Si el que dirige el juego dice: "gallo", los gallos tienen que correr a su refugio. Si son tocados por las gallinas antes de llegar a su refugio, se convierten en gallinas. Pero si dice: "gallinas", son las gallinas las que tienen que correr a su propio refugio; y si son tocadas por los gallos antes de llegar, se convierten en gallos. Una vez "convertido", uno deja de pertenecer a su equipo y forma parte del otro equipo. Se sigue jugando hasta que se cansen. Al final, gana el equipo que tenga más personas.

(7) Los reyes piden

Escoger a un niño para que sea el rey y a una niña para que sea la reina; sentarlos juntos en un lugar amplio. Dividir el grupo en dos equipos: unos son del rey y otros de la reina. El juego consiste en ver cuál de los dos equipos es más rápido. El rey y la reina se turnarán para hacer sus peticiones. Deben pedir algo sencillo que los niños puedan conseguir rápidamente y sin problemas. (Ejemplo: "Los reyes piden un zapato". Gana el grupo que entrega más rápidamente el zapato a su rey o reina y su equipo tendrá un punto.) Al final del juego gana el equipo que tenga más puntos.

(8) Lucha de gusanos

Se dividen en grupos de tres a cinco niños. Los niños de cada grupo se ponen en fila india y se agarran de la cintura. Cada fila forma un gusano: el primer niño es la cabeza, el último la cola y los demás forman el cuerpo del gusano.

Cuando el que dirige el juego indique, las cabezas de los gusanos empiezan a caminar y tratan de tocar la cola del otro. Si la toca, "muere" el otro gusano (y los niños del gusano muerto salen del juego). Si la cabeza va demasiado rápido, probablemente alguno de su propio grupo se soltará y, así, el gusano "se mata a sí mismo" (y todos los niños que forman el gusano también tendrán que salir del juego). Gana el último gusano que queda con vida.

(9) Simón dice

El que dirige el juego dará órdenes a los demás. Cuando dice antes de cada orden: "*Simón dice*", todos deben obedecerlo inmediatamente; si uno *no* lo hace, pierde y sale del juego. Pero si *no* dice: "*Simón dice*", nadie debe obedecerlo; si alguien lo hace, pierde y sale del juego. El último que queda en el juego, gana; y le toca dirigir el siguiente juego.

(10) Concurso de rompecabezas

Dividirlos en grupos de 4 ó 5. Entregarle a cada grupo una hoja de papel, muchos colores y tijeras. Darles un tiempo límite para que hagan un rompecabezas: deben colorear la hoja, cortarla en 20 pedazos y, después, colocar las piezas en montón sin orden.

Una vez terminado, cada grupo debe cambiar de lugar y sentarse junto a un rompecabezas que no sea el suyo. Cuando se les indique, todos empiezan a armar el rompecabezas. Gana el grupo que termine primero. (Si son varios rompecabezas, se puede seguir repitiendo el concurso.)

(11) La papa caliente

Todos forman un círculo; uno del grupo tendrá en sus manos una papa (u otra cosa que la represente). El que dirige el juego tendrá un radio. Cuando encienda el radio, la papa "se vuelve caliente", y el que la tenga en sus manos debe lanzarla cuanto antes a otra persona en el círculo. Y ella, al recibirla, debe lanzarla rápidamente a otra y así sucesivamente. En el momento que se pare la música del radio, el último que tuvo la papa en sus manos pierde y sale del juego. Se repite el juego hasta que sólo queda uno.

(12) ¡Sálvese el que pueda!

Se juega en un lugar amplio. El que dirige el juego explicará que todos están en un barco en alta mar. El barco está muy mal y a cada rato está a punto de naufragar. Para salvarse, cada uno debe meterse rápido en una de las pocas lanchas disponibles. En cada lancha sólo cabe cierto número de personas. No hay lugar para todos. Por eso, el que no alcanza a entrar rápidamente en una de las lanchas, se ahoga y muere. Empieza el juego. El que lo dirige grita: "¡Tormenta! ¡Naufragio! ¡Sálvese el que pueda! Hay lanchas para *x* personas". Inmediatamente todos deben formarse en grupitos de *x* personas, agarrarse de las manos y sentarse en el suelo. Los que no quepan en ninguna de las lanchas, "se ahogan" y salen del juego. Se repite, cambiando el número de personas en cada lancha, hasta que sólo quedan las últimas dos personas.

(13) ¡Conejito, sal de tu cueva!

Dividirse en grupos de tres. En cada grupo dos están de pie, viéndose de cara y agarrándose de ambas manos (son la cueva) el otro está enmedio de ellos (el conejito). Los grupos deben estar distantes unos de otros.

Cuando el que dirige el juego grita: "¡Conejito, sal de tu cueva!", todos los conejos levantan los brazos de su cueva, salen y tratan de meterse inmediatamente en otra cueva que esté desocupada. Al mismo tiempo, el que dirige el juego también hará lo mismo. Entonces, uno se quedará sin cueva y ahora a él le tocará dirigir el juego.

Cuando el que dirige el juego quiere, puede cambiar los roles: los conejos se hacen cuevas, y los que son cuevas se hacen conejos. Se termina el juego cuando todos se cansan.

(14) La alfombra mágica

En un espacio amplio se marca una raya por un lado y, por el otro, se fija una meta. Se dividen los niños en varios equipos de igual número; todos los equipos deben formarse en fila india atrás de la raya. Delante de cada fila se pondrán dos costales.

Cuando se le indique, el primer niño de cada fila tiene que correr a la meta y regresar a la raya donde comenzó. Luego corre el siguiente niño de la fila, y así sucesivamente, hasta que regrese el último de la fila. El equipo que termina primero, gana.

El único problema es que nadie debe pisar el suelo; si lo hace, pierde su equipo. Por eso cada participante usará los costales; mientras pisa uno, mueve el otro más adelante para luego pisarlo y, así, acercarse a la meta. Los costales son como si fueran unas alfombras mágicas porque les ayudan a los niños a llegar a su meta *sin pisar* la tierra.

(15) Los detectives

Se necesitan 3 objetos (por ejemplo: un cerillo, una moneda y un pasador para el pelo). Se les enseñan a todos. Después uno del grupo los va a esconder en un lugar aparte, sin que vean los demás.

Debe colocar cada objeto de tal manera que esté completamente a la vista y, al mismo tiempo, difícil de encontrar. Una vez que ha colocado cada uno de los tres objetos, llama a los demás para que los busquen. Los niños los buscarán en silencio para no dar pistas a los demás. El primero que encuentre los tres objetos, gana; y ahora le toca a él esconder los tres objetos. Se termina el juego cuando todos se cansan.

(16) Pares y nones

Todos forman un círculo. Se enumeran los niños así: uno, dos, uno, dos, uno, dos. etc. Si el último niño es "uno", sale del círculo y ayudará al que dirige el juego para ver que los demás no hagan trampa. A los dos primeros niños se les dará un pañuelo de color distinto; uno será el capitán de los "uno" y el otro de los "dos". Cuando se les indique, los capitanes pasarán su pañuelo rápidamente al siguiente niño de su equipo más próximo a él, y éste al siguiente de su equipo, hasta que el pañuelo pase por las manos de todos los de su equipo y regresa de nuevo al capitán, El equipo que regrese el pañuelo primero, gana y tiene un punto. Termina el juego cuando un equipo alcanza 10 puntos.

NOTA: Un capitán debe pasar el pañuelo a su derecha y el otro a su izquierda. No se debe impedir el pase del pañuelo del otro equipo.

(17) Carrera de coches locos

Se dividen en grupos de cuatro. Cada grupo forma "un coche": uno –el piloto– se sienta en el suelo, dos levantan sus hombros y otro sus piernas.

El que dirige el juego preparará un largo e interesante recorrido de obstáculos por donde tienen que pasar los coches.

Se alistan los coches para comenzar y corren cuando se les indique. El primero que llegue a la meta, gana. Se pueden formar nuevos equipos y seguir jugando hasta que se cansen.

(18) Las sillas musicales

Se prepara una fila de sillas del siguiente modo:

El número de las sillas debe ser uno menos del número de los participantes; las sillas deben estar muy cerca unas de otras y acomodadas unas en un sentido y otras en el otro.

Cuando se prende un radio, los niños caminan alrededor de las sillas al ritmo de la música. Cuando se apaga el radio, todos tienen que sentarse rápido en la silla más cercana.

El que *no* alcanza una silla, pierde y sale del juego. Se quita una silla y se repite el juego. Al final sólo quedan dos niños peleando por una silla; el que la ocupe, ganará todo el juego.

(19) La carta de la mala suerte

Se preparan con anterioridad diez cartas (papelitos de cartón). Por un lado las cartas deben ser iguales; por el otro lado, nueve deben tener un punto de color rojo y la última un punto de color negro.

Los niños deben sentarse en semicírculo alrededor de la persona que tenga las cartas. Se barajan las cartas y se destapa una enmedio de los niños. Si tiene punto rojo, nadie se mueve. Si tiene punto negro, todos los niños deben poner su mano encima de la carta. El último que lo hace, pierde. Los demás le dicen: "Mala suerte"; y el perdedor sale del juego. Sigue el juego; el último niño que queda es el ganador.

(20) El mensaje del mudo

Se dividen en dos grupos. Cada grupo escribirá unos mensajes; un mensaje por cada miembro del otro grupo. Cada mensaje debe ser distinto y debe tener no más de diez palabras. (Ejemplo: "Llama a los bomberos, porque mi casa se está quemando"... "Préstame tu pañuelo porque tengo que sonarme la nariz"... "Ponte tus zapatos y lleva un paraguas porque está lloviendo".)

Al terminar de escribirlos, cada equipo debe doblar los papelitos y meterlos dentro de un vaso.

Se van turnando los equipos: primero pasa un niño de un equipo, después uno del otro. El niño agarra un papelito del vaso que ha preparado el otro equipo. Lee en secreto el mensaje; tiene medio minuto para pensar cómo va a comunicar este mensaje a los de su equipo sin hablarles. Cuando el que dirige el juego lo indica, el niño usa gestos y mímica para comunicárselo; sólo tiene dos minutos para hacerlo. Su equipo tiene que atinar cuál es el mensaje antes de que se acaben los dos minutos. Si lo hacen, tienen un punto. Al final, gana el equipo que tiene más puntos.

Ojo: No se vale usar nombres propios.

(21) Los quemados

Primero, hay que marcar el campo para jugar.

Se dividen en dos equipos. Cada equipo tendrá un portero. Para empezar el juego, se tira la pelota en el aire sobre la raya que separa a los equipos y el primer niño que la pesca, la tira contra los del otro equipo. Si la pelota toca a uno del otro equipo, *está quemado* y tiene que salir de la cancha de juego; se pone junto a su portero y le ayuda. Si la pelota *no toca a nadie*, pasa por toda la cancha y llega a la portería. Ahora el portero la toma y trata de pegarle a uno de otro equipo; mientras más quemados tenga un equipo, más porteros tendrá.

Pero si uno de los jugadores dentro de la cancha pesca la pelota con sus manos (sin dejarla caer al suelo), no está quemado y debe tirar rápidamente la pelota contra el otro equipo. Si un jugador sale del cuadro de su cancha, también esta *quemado* y tiene que irse a su portería; ya no puede jugar en la cancha. El equipo que *se quede sin gente* en su cancha, pierde.

PORTERÍA EQ. 2	EQUIPO 1	EQUIPO 2	PORTERÍA EQ. 1

(22) Arquitectos y albañiles

Se dividen en dos o más grupos. Enfrente de cada grupo se pondrá suficiente material (por ejemplo: barro, plastilina, papel, cajas de cartón, revistas, etc.) e instrumentos (por ejemplo: tijeras, colores, palillos, cinta adhesiva, etc.).

Cuando se les indique, cada equipo tendrá que construir lo mismo (casa, iglesia, castillo, tienda, etc.); tendrán un tiempo límite para hacer el trabajo. Gana la mejor construcción.

NOTA: Es bueno dar un premio al equipo ganador, por ejemplo, unos dulces.

Si están en el campo, es bueno no darles ningún material; dejarlos usar su creatividad y hacer su construcción a partir de lo que encuentren.

(23) Los cuatro puntos cardinales

En un lugar amplio, se marcan las cuatro esquinas. Se divide el grupo en cuatro equipos; un equipo en cada esquina. Cuando el que dirige el juego dice: “El viento sopla hacia la derecha”, todos los equipos tienen que correr rápidamente a la esquina que está a su derecha. El último niño que llega, pierde y sale del juego. Si dice: “El viento sopla hacia la izquierda”, tienen que correr a la esquina a su izquierda. Y si dice: "El viento sopla de frente", tienen que correr a la esquina que está enfrente de ellos. Siempre pierde el último niño que llega y sale del juego. Cuando tres de los equipos ya no tienen niños, gana el equipo que sobrevive.

(24) La búsqueda del tesoro enterrado

El juego debe realizarse en un lugar muy amplio. Con anticipación se esconde un "tesoro" (por ejemplo, una bolsita de dulces) bajo la tierra. Se escribe en unos cinco papelitos las pistas para hallar el tesoro. La primera pista los llevará a la segunda y así sucesivamente, hasta que la quinta pista los lleve al lugar exacto donde está enterrado el tesoro.

NOTA: Las pistas deben ser algo complicadas, como son las adivinanzas. Por ejemplo: "A dos metros de la gran sombra, encontrarán algo liso y redondo. De ahí caminan diez pasos hacia el Norte y tres hacia donde se pone el sol. Allí encontrarán la siguiente pista debajo de algo duro y oscuro". La "gran sombra" es la sombra del árbol más grande, "algo liso y redondo" es una piedra, "donde se pone el sol" es el Oeste y "algo duro y oscuro" es un trozo de madera.

Se dividen en dos o tres grupos. Enseñarles la primera pista y leérsela a todos los grupos al mismo tiempo. Dejarla en aquel lugar para que puedan regresar a leerla si es necesario. Recordarles que tienen que despistar a los otros grupos, para no permitir que los otros grupos encuentren el tesoro primero. Por eso, cuando encuentren la siguiente pista, deben leerla en secreto para que los demás no se den cuenta. Siempre tienen que dejar el papelito de la pista en el mismo lugar y exactamente como lo habían encontrado, para que los otros grupos también puedan encontrarlo. El grupo que encuentre el tesoro, gana.

(25) El amigo secreto

Este juego dura una o dos semanas; es bueno jugarlo antes de Día de la Amistad o antes de la Navidad. Se escribe en papelitos los nombres de todos los niños; se doblan y se ponen en un vaso. Cada uno toma un papelito y el nombre escrito ahí es el de su "amigo secreto". (Si alguien saca su propio nombre, debe escoger otro.) Durante la(s) siguiente(s) semana(s) cada uno manda "recados" a su amigo secreto; pero deben ser disfrazados para que no sepa de quién vienen.

Para el último día (Navidad o el Día de la Amistad) todos traerán un pequeño regalo para su amigo secreto. Pero antes de entregárselo, todos tendrán que adivinar quién fue su amigo secreto.

(26) ¡Viva la revolución!... ¡Viva México!

Sentarse por parejas en forma de círculo. Hay que tener sillas para todos; dejar un espacio grande entre una pareja y otra. Cuando el que dirige el juego dice: ¡*Viva México*!, todos se cambian de lugar pero deben quedarse juntas las mismas parejas. Cuando dice: ¡*Viva la revolución*!, todos se cambian de lugar y deben formar nuevas parejas. También se sienta el que dirige el juego. Al niño que no encuentra silla donde sentarse, le toca dirigir el siguiente juego. Termina en juego cuando se cansan todos.

(27) El corto circuito

Sentarse en círculo y tomarse de las manos; formar un alambre por donde pase la electricidad. Escoger a dos niños que están sentados juntos. Uno será el polo positivo de la electricidad y el otro será el polo negativo

Cuando se les indique, cada uno de ellos dos levantará su mano en el aire y "pasará la electricidad" a la persona a su lado; luego, él también levantara su mano y "la pasará" al siguiente niño, y así, hasta que lleguen las dos corrientes eléctricas a un niño al mismo tiempo. Cuando pasa esto, se hace un "corto circuito"; pierde el niño y sale del juego.

Los dos niños sentados a cada lado del niño que perdió, se toman de la mano y serán los nuevos polos de la electricidad. Sigue el juego. Ganan los últimos dos niños que quedan en el juego.

(28) Abecedario

Dividirlos en dos grupos. Ponerlos de pie y en fila india; uno por un lado y otro por el otro lado.

El que dirige el juego dirá una letra del alfabeto; debe ser una con la que se pueden forman muchas palabras.

El primer niño de una fila dirá una palabra que empieza con aquella letra, después el primer niño de la otra fila, luego el segundo niño de la primera fila, etc. Si un niño no responde inmediatamente o si repite una palabra que ya ha dicho otro niño, pierde y tiene que sentarse.

Cuando el que dirige el juego quiere, puede cambiar de letra.

Termina cuando no hay nadie parado en una fila o cuando de cansan los niños.

Oraciones Comunitarias

Cómo prepararlas

Aquí se aplica muy bien lo que dijo Jesús: "La ley se hizo para el hombre, y no el hombre para la ley" (Marcos 2, 27-28). La oración comunitaria de niños se hace para los niños. Los niños no tienen que ajustarse a un rito hecho para los adultos. Cuando hay claridad en esto, entonces es más fácil ser creativo y ayudar a los niños –de verdad– a expresar y celebrar su fe.

Empezamos…

1. Primero usa un esquema básico para la Oración comunitaria. Sugerimos el siguiente:

1. Saludo	Crear un ambiente de amistad
2. *Introducción* (con canto)	Presentación del tema del día Oración (muy breve y participada) Reconciliación (opcional)
3. *Palabra de Dios* (con canto)	Los tres pasos para leer el Evangelio Representación dinámica del Evangelio Reflexión por grupos y en asamblea Peticiones (opcional)
4. *Ofrenda* (con canto)	Dar víveres para la gente necesitada
5. *Rito de la comunión* (si es posible)	Rezar juntos el Padrenuestro Dar la paz todos a todos Recibir la comunión
6. *Conclusión*	Oración (acción de gracias) Bendición final (opcional)
7. *Convivio* (opcional)	Juegos, concursos, comer juntos, etc.

Veamos cada parte…

1. El ***Saludo*** es la base de la oración comunitaria. Si los niños se sienten "en casa" y verdaderamente entre amigos, no faltarán a las oraciones comunitarias. Se puede lograr este ambiente de amistad de muchos modos, por ejemplo:

– Si ya se conocen, que se saluden todos al llegar, que platiquen un rato antes de la oración. Si quieren, pueden traer dulces para repartir a los demás niños. También pueden ensayar los cantos que van a cantar durante la oración comunitaria.

– Si no se conocen bien (en especial si son de distintas parroquias o colonias), se pueden hacer algunas dinámicas para "romper el hielo" y para que puedan conocerse.

Por ejemplo, "El Reloj": Cuando se indique que es "la una", todos tendrán que buscar a otro niño que no conocen bien y platicar con él durante dos minutos; en la plática se dicen cómo se llaman, de qué grupo vienen, cómo es su familia, sus gustos, sus disgustos, etc. Cuando se indique que son las dos, todos tendrán que buscar a otro niño con quién platicar. Siempre se busca a alguien que no conocen bien, pero al que tengan ganas de conocer. Se termina la dinámica, después de platicar con el niño de las doce.

O, simplemente, se ponen a platicar de lo mismo dos personas que no se conocen; luego se reúnen con otra pareja y comparten entre los cuatro de lo que hayan platicado.

2. La ***Introducción*** es muy breve. Es sólo para facilitar el paso entre el momento del saludo y el momento de escuchar la Palabra de Dios.

–Si se quiere, se puede explicar lo que van a hacer durante toda la oración, o cuál va a ser el tema para tratar ese día.

–Siempre hay una oración muy espontánea. Puede ser que un niño suba delante de los demás y dirija una oración muy breve en sus propias palabras y que los demás repitan cada frase después de él. O los niños pueden subir delante de los demás para hacer sus peticiones a Dios.

–Si se ve la necesidad de una reconciliación al principio de la liturgia, es el momento para hacerlo. Si están muy peleados unos con otros, sería hasta mejor que el tema del día (el Evangelio y la reflexión) fuera sobre este asunto; hasta pueden darse "la paz" inmediatamente después de su reflexión.

3. La ***Palabra de Dios*** es la parte formativa para los niños. Al reflexionar sobre el Evangelio y su relación con su propia vida, van a profundizar lo que ya han visto en el catecismo y, así, van fundamentando cada vez más su fe. Es la parte más larga de toda la oración comunitaria; también es la parte que tiene que estar mejor preparada y mejor presentada.

Es muy útil, antes de escuchar el Evangelio, recordar los tres pasos para leer la Biblia:

* escucharla atentamente,
* comprender su mensaje y
* pensar en cómo poner en práctica este mensaje en su vida.

–*¡Nunca se lee el Evangelio en una oración comunitaria para niños!* Se representa de un modo dinámico para que sea más interesante e impactante. Se puede hacer por medio de teatro, títeres, dibujos, franelógrafo, etc. Luego, en este mismo apartado del libro, se van a enseñar unas pistas prácticas de cómo utilizar cada uno de estos medios.

Es indispensable la reflexión sobre el Evangelio. Ha dado muy buen resultado la siguiente manera de realizarla:

–Dividirse en grupitos; si son de distintas parroquias (o colonias), deben mezclarse entre sí para que no se junten los del mismo lugar.

–Tendrán un tiempo límite para contestar la pregunta: ¿Cuál es el mensaje de Jesús? Después, un representante de cada grupito subirá delante de todos; se presentará a sí mismo y dirá la respuesta de su grupo. Una vez que han hablado todos los representantes, el que coordina esta parte de la oración hará un resumen de las ideas, destacando en cada una lo que hay de bueno. Al final, también puede añadir sus propias ideas.

–Luego, se juntarán en los mismos grupos para contestar la pregunta: ¿Qué va a hacer cada grupo para poner en práctica este mensaje durante la semana? Después, subirán unos representantes nuevos para decir las respuestas de su grupo. El que coordina los motivará a llevarlo a cabo.

–Se pueden introducir cantos cuando se crea conveniente.

– Si desean hacer peticiones (y no lo van a hacer en ninguna otra parte de la oración), se pueden hacer en este momento.

4. La ***ofrenda*** es una manera de aprender a orar y actuar al mismo tiempo. Durante el mes algún grupo de niños hará una actividad para sacar fondos con el fin de comprar unos víveres para la gente más pobre. La oración comunitaria es el momento adecuado para presentarlos. Después le tocará a algún grupo de niños llevárselos a una viejita que viva sola y que los necesite.

5. El ***rito de la Comunión*** es sencillo y sentido y se puede realizar donde hay ministro de la Eucaristía.

–Rezar todos juntos, tomados de la mano, la oración del Padrenuestro.

–Y, para dar una señal de que son verdaderos hermanos –hijos e hijas de un mismo Padre Dios– se dan el saludo de la paz, mutuamente, sin que falte nadie.

–Luego, el ministro de la Eucaristía dará la Comunión a todos.

NOTA: En muchas partes es imposible que un sacerdote pueda celebrar de un modo constante la oración comunitaria de los niños (y repartir la Comunión) en todos los pueblos que le toca; no hay tantos sacerdotes para atender bien a toda la gente. Esto no debe desanimar a los catequistas. Unas parroquias tienen diáconos o ministros de la Eucaristía que ayudan a dar la Comunión en sus celebraciones. Si no hay, ver la posibilidad –como lo hacen en muchos lados– de que el párroco delegue a uno o a varios catequistas a servir como ministros extraordinarios de la Eucaristía para distribuir la Comunión a todos los presentes. Es muy importante que los niños, después de haber hecho su Primera Comunión, no pierdan la costumbre de celebrar su fe en comunidad y de recibir el Sacramento de la Comunión.

6. La ***conclusión*** de la oración debe consistir en una breve oración de acción de gracias y, si quieren, una bendición.

7. El ***convivio*** después de la celebración les fomentará el sano hábito de convivir como amigos en el Señor Jesús, cada vez que oran en comunidad. Por lo general, los adultos no tenemos este hábito de convivir como Iglesia; y, por lo tanto, no damos un ejemplo que motive a los niños a hacer lo mismo. Pero, si ellos lo van haciendo de niños, es más fácil que lo sigan haciendo de grandes. Lo ideal es que los catequistas vayan integrando a los papás dentro del convivio para que sea también familiar.

Pistas para representar el Evangelio de un modo dinámico

Para teatro

* Buscar vestuario (aunque sea sencillo, debe lucirse).
* Hacer un escenario (si es posible, con una cortina que se abre y se cierra y lo que se necesite para ambientar la actuación: sillas, mesa, trastes, dibujo de una ventana pegado en la pared, etc.).
* Poner luz y sonido (sé creativo).
* Meter siempre un canto dentro de la obra; y, cuando se pueda, un bailable.
* Los actores deben hablar muy fuerte para que se escuche bien todo lo que dicen. Si tienen un sonido, ensayar bien con él antes de presentar la obra a la gente.
* No deben dar la espalda al público (porque entonces la gente no ve nada de lo que está sucediendo en la obra; y tampoco oye lo que están hablando los actores).
* Ensayar todo muy bien; que salga todo "a la perfección". Esto es muy importante, porque si el niño cree que sólo va hacer algo para "pasar el rato", ni interés le va a poner. Si ve que es algo importante, entonces, hasta invitará a sus amigos y a su familia. Si se siente parte de un equipo ante un reto, también se sentirá responsable ante ellos de su participación y no les va a fallar.
* Variar el modo de hacer las obras; no presentar "siempre lo mismo".

Para títeres

* Tener un lugar adecuado para trabajar con los títeres (debajo de una ventana, detrás de una barda, poner una mesa delante del hueco de una puerta y trabajar detrás de ella, o –de plano– hacer un sencillo teatro para títeres con sus cortinas que se abren y se cierran.
* Hacer títeres simpáticos que llamen la atención de los niños.

Se pueden hacer de calcetines viejos: Meter la mano, y el lugar donde llega la mano es la boca, coser la parte de arriba y poner botones (los ojos) y estambre (el pelo), algo como orejas, etc.

O se pueden hacer los títeres de dibujos sobre cartulina. Cortar la cartulina para que sólo quede el dibujo. Se corta una vara(del doble del tamaño del dibujo) y se la pega detrás del dibujo con cinta adhesiva, dejando que la vara llegue más abajo del dibujo (para así mover el títere).

O se pueden hacer de papel maché. Inflar un globo del tamaño que tendrá la cabeza del títere. Con pequeñas tiras de periódico y engrudo (o pegamento blanco) cubrir el globo completamente. Dejar que seque perfectamente. Repetir lo mismo otras dos veces; romper el globo. Luego, hacer la nariz, barbilla, cejas y demás elementos de la cara con más periódico y pegamento. Cuando esté completamente seco, pintarlo todo de color blanco (como base) y después pintar los detalles de la cara con los colores que gusten.

* Usar *medios llamativos,* cosas que atraen la atención de los niños; por ejemplo: hacer sonidos de animales o de viento, hacer ruido como de pasitos cuando un títere camina de un lado a otro del escenario, poner música grabada, cantar un canto en vivo, poner distintos fondos para cada escena de la obra, utilizar sombras y luces con una vela por la noche, colgar –con palitos e hilo– cosas desde el techo del escenario, etc.
* Quienes manejan los títeres deben hablar muy fuerte.
* Ensayar todo muy bien.

Para franelógrafo

* Fijar una tela de franela a la pared o al pizarrón.
* Hacer dibujos grandes de todo lo que se va a utilizar para su narración; pegar atrás de cada dibujo velcro, cadillos o lija.
* Mientras uno narra el Evangelio (a un lado de la tela), otros van pegando los dibujos a la tela según los detalles de la narración.

Para "el cine"

Material: Una caja grande de cartón, un rollo largo de un papel que no se rompa fácilmente, una mesa, dos palos, colores, tijeras y pegamento.

Modo de hacerse:

* Quita la tapadera de arriba de la caja. En una de las caras de la caja, corta un rectángulo (un poco

más chico que el ancho del rollo de papel). A cada lado y muy pegado a la cara donde hiciste el rectángulo, corta una ranura, cuyo grosor permita que pase el papel e impida que se doble.

* Haz el número de dibujos necesarios para la narración del Evangelio; cada dibujo deberá tener el tamaño del rectángulo.
* Haz los dibujos y pégalos en el rollo, según el orden que llevan en la explicación. Luego, mete el papel por una ranura y sácalo por la otra. Pega cada extremo del rollo en los palos y enrolla todo en un solo lado.
* Según la narración, se van moviendo los dibujos, enrollándolos en el otro palo.

Sugerencias de citas bíblicas para las representaciones

* El Hijo Pródigo: Lc 15, 11-32
* El Buen Pastor: Jn 10, 1-16
* El Juicio Final: Mt 25, 31-46
* La Oveja Perdida: Mt 18, 10-22
* El Buen Samaritano: Lc 10, 25-37
* Las Bodas de Caná: Jn 2, 1-12
* Marta y María: Lc 10, 38-42
* Jesús enseña a orar: Mt 6, 5-15
* El joven rico: Mt 19, 16-30
* El rico y Lázaro: Lc 16, 19-31
* Las diez vírgenes: Mt 25, 1-13
* Resurrección de Lázaro: Jn 11, 1-44
* Dios nos cuida: Mt 6, 25-34
* La hija de Jairo: Mc 5, 21-43
* El paralítico: Mc 2, 1-12
* Jesús llama a Mateo: Mt 9, 9-13
* Los talentos: Mt 25, 14-30

* Las Bienaventuranzas: Mt 5, 1-12
* Zaqueo: Lc 19, 1-10
* Nacimiento de Jesús: Lc 1 y 2; Mt 1 y 2
* El leproso: Mc 1, 40-45
* Tentaciones de Jesús: Mt 4, 1-11
* Los cuatro Pescadores: Mt 4, 18-25
* Jesús camina sobre el agua: Mt 14, 22-33
* Milagro de los panes: Mc 8, 1-10
* Resurrección de Jesús: Jn 20 y 21
* La Misión: Mt 28, 16-20
* Los Discípulos de Emaús: Lc 24, 13-35

Nota: Acerca de los cantos. Es muy difícil sugerir nombres de cantos porque todos los lugares usan cancioneros distintos. Pero, para los niños, es conveniente usar cantos muy alegres, “pegajosos”, y fáciles de aprender. Si la letra del canto es muy pobre, inventa otra más adecuada. Si no hay un canto adecuado para un tema, invéntalo. Cambia la letra de una canción de moda con el mensaje que quieres dar. No hace daño preguntar a los catequistas de otras parroquias sobre los cantos que ellos usan. Tampoco hace daño visitar una librería católica para ver y escuchar los casetes que tengan.

Un curso sencillo y práctico de dibujo para catequistas

Ahora sigue estos pasos y aprende a hacer tus propios dibujos que te ayudarán para la catequesis.

PRIMERO, EN UNA HOJA DIBUJA 4 CÍRCULOS:

(NO TIENEN QUE SER PERFECTOS)

LUEGO, DIBUJA UNA NARIZ (UN PICO) EN CADA UNO:

DESPUÉS, DIBUJA LOS OJOS (2 PUNTOS):

AHORA, VIENE LO IMPORTANTE: DIBUJA BOCAS Y CEJAS PARA PONER LA EXPRESIÓN QUE QUIERES:

(CONTENTO) (TRISTE) (ENOJADO) (SIN EXPRESIÓN)

AHORA, DIBUJA OREJAS Y PELO SEGÚN LA EXPRESIÓN DE LA CARA:

EXPERIMENTA CON NUEVAS EXPRESIONES:

(ENAMORADO) (MALICIOSO) (CONFUSO) (TÍMIDO)

AHORA EXPERIMENTA CON DISTINTA NARIZ:

Y CON OJOS DISTINTOS:

Y CON LAS CEJAS:

Y CON LA BOCA:

FORMA NUEVAS CARAS CON TUS EXPERIMENTOS:

AHORA, CAMBIA LA FORMA DE LA CABEZA PARA EXPRESAR MEJOR EL SENTIMIENTO QUE QUIERES PROYECTAR, USANDO □, ○ Y △:
PARA HACER MANOS...
USA COMO MODELO UNA FLOR
TUBO PARA EL BRAZO
CÍRCULO PARA LA MANO
"PÉTALOS" PARA LOS DEDOS
PARA HACER CUERPOS...
USA UNA DE ESTAS FIGURAS
PARA FORMAR LA BASE DEL CUERPO DE TU DIBUJO

A LOS NIÑOS LES INTERESA LA EXPRESIÓN DE LA CARA ... POR ESO, DIBUJA LA CARA A 1/3 Ó HASTA 1/2 DEL TAMAÑO DE TODA LA FIGURA →

Una actividad para cada mes

Un sincero agradecimiento a
Ariadna Heredia y
David Santiago
por elaborar todas las manualidades
de este apartado.

Ésta es, tal vez, la parte de la catequesis que más les gusta a los niños. Aparentemente es pura diversión, pero en realidad son los momentos mágicos que propician que los niños se hagan amigos y amigas en el Señor. ¡Son niños!… y, por eso mismo, van a vivir su fe dentro de un ambiente de juego y de alegría.

Crear una actividad mensual que sea interesante y divertida, es bastante fácil. Primero, fíjate en las fechas importantes del mes; a ver si hay alguna fecha que te llame más la atención para hacer algo con los niños. Lee este apartado del libro; te ofrece unas sugerencias prácticas para cada mes. Si una te sirve, úsala. Si no, consigue en la biblioteca pública, o en alguna librería, revistas que enseñan cómo realizar diversos trabajos manuales. Sé creativo y disfruta mucho la actividad junto con los niños.

Enero

No hay actividades catequéticas durante todo este mes. El catequista necesita descansar después de tantas actividades en diciembre. Y a los niños les conviene un receso. Hay que fijar una fecha para que la comunidad de niños se junte de nuevo. Una sugerencia: que sea antes del 14 de febrero (para festejar juntos el Día de la Amistad).

Febrero

1. Para el día 14: organizar una fiesta
Decoración:

Elaborar toda la decoración en color rojo y blanco; hacer corazones con los nombres de cada participante, de diferentes tamaños, y pegarlos en las paredes. Además, hacer corazones pequeños para ponérselos en la ropa, a modo de identificación.

Desarrollo de la reunión:

* Una vez que ya estén todos los participantes, se le pide a cada uno que se presente y que diga, de manera muy breve, ¿qué significa la amistad?
* Se realizan diferentes juegos (Ver *Juegos: "El amigo secreto"*).
* Comer juntos. Deberá ser una comida sencilla (por ejemplo: tortas y refrescos); cada quien llevará algo para sí y algo para compartir con otros.
* Si lo quieren hacer, compartir regalos que no resulten costosos. (Ver las otras actividades de este mes.)

2. Para el 14:
Tarjeta para el Día de la Amistad

Material: 1/2 cartulina blanca o roja, papel lustre (o metálico) blanco o rojo, tijeras, regla, pegamento blanco, plumones de colores.

Modo de hacerse: Se corta un rectángulo de cartulina de 28 x 21 cm.; luego, se dobla por la mitad. Se corta un rectángulo de papel blanco que deberá ser 1/2 cm. menor que la mitad de la cartulina. Esto servirá de portada para la tarjeta. Se recorta un corazón rojo y se pega en el centro de la portada. Si se quiere, se le puede poner el nombre de la persona a quien se le va a obsequiar. Por dentro, se le escribirá un pensamiento bonito acerca de la amistad.

3. Para el día 14: Regalo para un niño (portalápiz)

Material: tres cajitas de diferentes tamaños, pegamento blanco, papel de regalo, tijeras.
Modo de hacerse: Se corta la tapa superior de las cajas. Se forran las tres cajas con el papel de regalo. Se van poniendo las cajas en forma de escalón.

4. Para el día 14: Regalo para una niña (una bolsa)

Material: una caja desechable de leche de un litro (o de 1/2 litro), pegamento blanco, 1/2 m. de tela estampada, 20 cm. de listón de cualquier color, y 2 1/2 m. de encaje (o una bolsa chica de estambre).

Modo de hacerse: Si la caja es de 1 litro, se corta a la mitad. Si es de $^{1}/_{2}$ litro, únicamente se le quita la tapa de arriba. Se le hace una perforación en dos lados y se le pone el listón, haciendo un nudo en cada lado para que sea el asa de la bolsa. Se forra por fuera con la tela estampada, pegándola perfectamente. Se decora con el encaje.

5. Para Miércoles de Ceniza: Separadores para libro

Material: Papel de cualquier tipo, un lápiz o una pluma, hojas secas de diferentes plantas y pegamento blanco.
Modo de hacerse: Del papel, se corta un rectángulo de 6 x 15 cm. Se escribe un pensamiento (o una cita de la Biblia) y se pegan pedazos de hojas secas, formando un margen alrededor del pensamiento. Después, se sumerge en el pegamento y se espera hasta que se seque. Volver a hacerlo otra vez del mismo modo. (Así el papel se hace duro, pero se queda transparente para poder leer el pensamiento.)

Marzo

1. Para el Domingo de Ramos: Tejer una palma

Material: Una hoja entera de palma (para que alcancen tiras de palma para todos).
Modo de hacerse: Para hacer trabajos de palma, siempre debemos tener en cuenta que la palma la podemos doblar

de diferentes maneras. Una de estas maneras es el tejido que se muestra a continuación:

1er PASO: AMARRA UNA PALMA Y DIVÍDELA EN 8 PARTES...

2º PASO: TOMA LA PALMA DE UN EXTREMO Y EMPIEZA A TEJERLA ENTRE UNA Y OTRA...

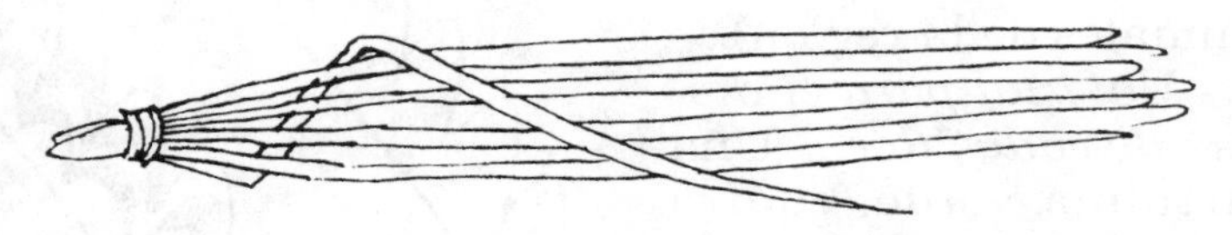

LUEGO... HAZ LO MISMO CON EL OTRO EXTREMO...

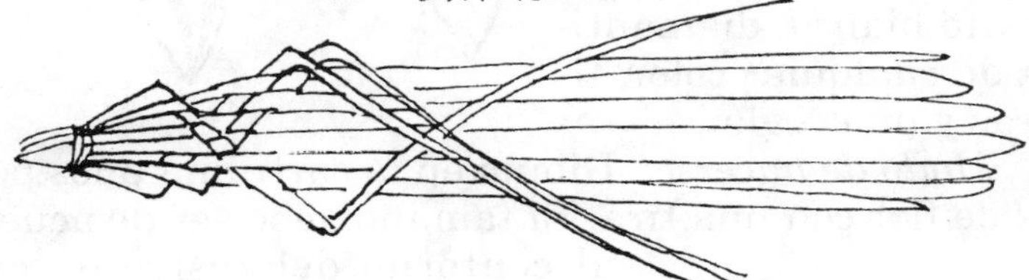

3er PASO: TEJE HASTA TERMINAR LA PALMA Y AMÁRRALA...

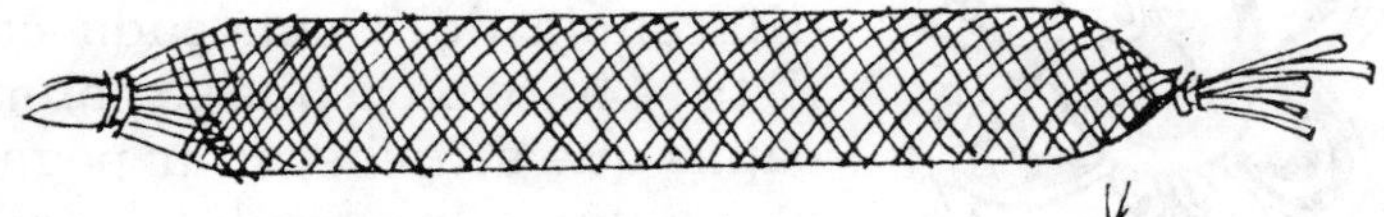

4º PASO:

HAZ OTRA IGUAL Y ÚNELAS ARTÍSTICAMENTE CON OTRA TIRA DE PALMA EN EL CENTRO DE LA CRUZ.

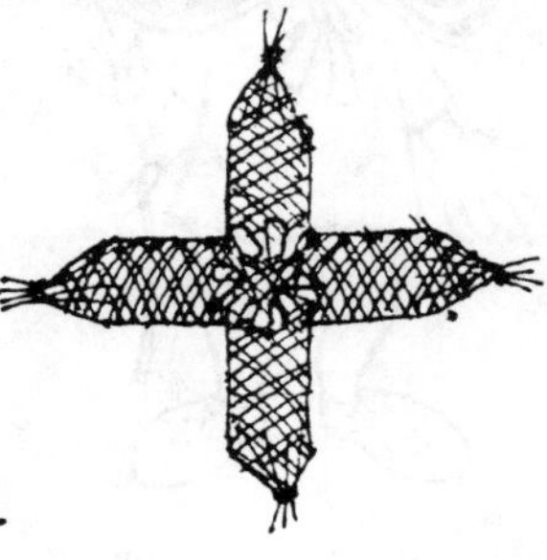

2. Para el 21: Desfile de primavera

Objetivo de esta actividad: Celebrar la primavera y, a la vez, hacer conciencia, tanto en los niños como en los adultos, de nuestra responsabilidad de cuidar nuestro entorno ecológico.

Se podrá realizar este desfile por las calles o en algún parque cercano. Si es posible, lleva música para atraer la atención de los transeúntes. Los niños usarán disfraz de ave; las niñas, de flor. Se le pide a cada niño que lleve una cartulina con un mensaje ecológico (por ejemplo: sobre el cuidado de las plantas o de los animales de la región).

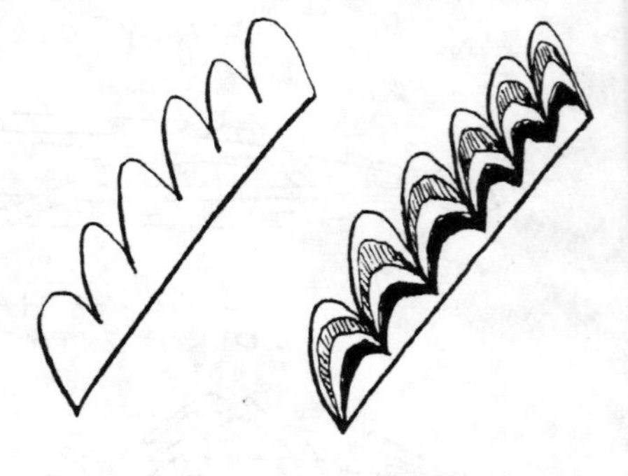

Material para el disfraz de cada "flor": Una cartulina verde, cuatro pliegos de papel crepé de diferentes colores, pegamento blanco, diamantina de cualquier color, tijeras y una regla.

Modo de hacerse: Dibuja en la cartulina unos pétalos de flor con una tira. El tamaño debe ser de acuerdo al contorno del rostro de cada niña.

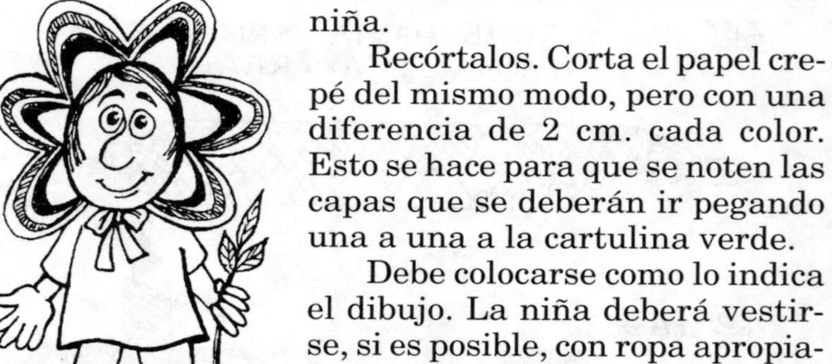

Recórtalos. Corta el papel crepé del mismo modo, pero con una diferencia de 2 cm. cada color. Esto se hace para que se noten las capas que se deberán ir pegando una a una a la cartulina verde.

Debe colocarse como lo indica el dibujo. La niña deberá vestirse, si es posible, con ropa apropiada (por ejemplo: un leotardo y mallas verdes o un vestido verde o blanco).

Material para el disfraz de cada "ave": dos cartulinas blancas o amarillas, cuatro pliegos de papel de china de colores, dos ligas de hule, diamantina de cualquier color, pegamento blanco, tijeras y una regla.

Modo de hacerse: Se cortan dos alas, una en cada cartulina, como se indica en el dibujo.

Se cortan cuatro tiras de lo que sobró de la cartulina: cinco cm. de ancho por veinte de largo. Así, al quedar pegadas, el niño podrá meter el brazo y sostener las alas.

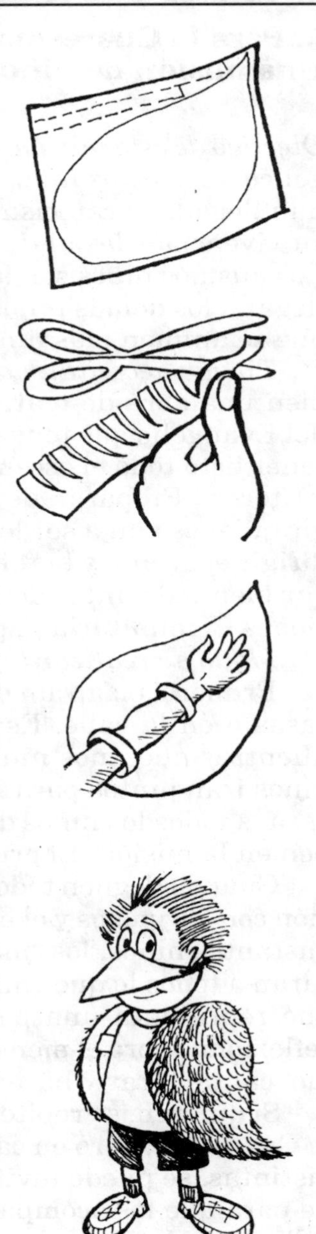

El papel de china se corta en tiras. Se le hacen cortes verticales (hasta de 3/4 partes del ancho, que deberá ser –mínimo– de 5 cm). Luego, con las tijeras abiertas, con el papel entre la tijera y el dedo pulgar, se presiona y se jala con el fin de rizarlo.

Y con estas tiras se adornan las alas, a manera de plumas. Decóralas con la diamantina.

Para el pico del pájaro, de la cartulina sobrante se corta un triángulo de 15 cm. de base y 10 cms. por cada lado. En los extremos de la base se le hace un hoyo para ponerle la liga, como lo indica el dibujo, para ponérselo como antifaz, a la altura de la boca. También se puede decorar con diamantina.

3. Para la Cuaresma: Una misión de niños por las calles

Objetivo de esta misión: Que la comunidad de niños evangelice a los otros niños, especialmente a los que nunca han llegado al catecismo o a los que no han continuado su vivencia eclesial después de la Primera Comunión. Los mismos niños son los mejores evangelizadores para llegar a los demás niños. Ojalá que la misión sirva para que se animen más niños a entrar en la catequesis.

Lo que necesitan hacer antes de la misión: Ensayar bien una obra de teatro (o de títeres) sobre una parte del Evangelio que tenga acción y un mensaje muy claro; tener listo todo el escenario y vestuario (o teatro guiñol y títeres). Preparar, de antemano, cantos y juegos. Elegir quiénes van a ser los "maestros de ceremonia" para dirigir el evento y la reflexión sobre el Evangelio. Ensayar bien todo antes de lanzarse a la misión. (Ver "Oraciones Comunitarias", para tener más pistas.)

Modo de realizar la misión:

Primero, elegir un día en que los niños estén en sus casas o en la calle. Escoger una calle para la misión. Mientras que unos niños ponen el escenario, los otros niños irán juntos para invitar personalmente, casa por casa, a todos los niños de aquella calle para que participen en la misión. El grupo de niños irá aumentando.

Cuando lleguen todos al escenario, empezarán la misión con los juegos y el ensayo de cantos. Cuando ya hay bastantes niños, los "maestros de ceremonia" les explicarán a todos lo que van a hacer: ver una obra de teatro que representa una parte del Evangelio; después, se reflexiona sobre el mensaje que tiene la obra; y, por último, cantar, orar y hacer más juegos.

Si quieren, se repite lo mismo cada semana durante la Cuaresma, pero en calles distintas. Si ensayan obras distintas, se puede invitar a los niños de la primera calle para que los acompañen la siguiente semana a otra calle, etc. Motivar a los niños a integrarse a la comunidad o, si no han hecho su Primera Comunión, al grupo de catecismo.

Abril

1. Para el Domingo de Resurrección: Huevos de Pascua

Material: Muchos cascarones de huevo (deben estar casi enteros), pinturas de agua o plumones, cinta adhesiva y dulces o chicles pequeños.

Modo de hacerse: Los cascarones de huevo deben estar perfectamente lavados y secos. Se les mete un dulce (o chicle) y se les pone un pedazo de cinta adhesiva para cerrar el agujero. Se les pedirá a los niños que los decoren con las pinturas o plumones a su gusto; al terminar, se deben entregar al catequista.

Modo de realizar la actividad: El Domingo de Resurrección es un día de mucha alegría. Pero muchas veces no hay nada que lo haga un día especial para los niños. Por eso se sugiere esta actividad. Se esconden los huevos en un lugar amplio con pasto y plantas (mejor que sea en el mismo atrio del templo). Al terminar la Misa de la mañana, los niños –empezando por los más chicos– buscarán los huevos. Al encontrar uno, se quedan con él.

2. Para el día 30: Dulceros para el día del niño

Material: Una cajita desechable de leche, 3 pliegos de papel crepé de diferentes colores, pegamento blanco, hilo, aguja y un pedazo de cartón.

Modo de hacerse:

1. Se corta un pedazo de papel crepé de cada color al tamaño de la caja. Con la aguja e hilo se recogen los 3 papeles, forrando la caja y dándole una forma de un pantalón con los diferentes colores.

2. Se corta el pedazo de cartón en forma de paleta (una rueda con su palito). A éste se le agrega en la parte superior un fleco del mismo papel a los lados, se le pone un pedazo de papel recogiéndolo de diferentes color.

3. Para hacer los brazos, se corta el papel crepé de 4 cm. y se pasa la aguja por el centro del papel, recogiendo todo, dándole vuelta, para que todo quede como una espiral. Se pegan así los brazos en la parte de arriba.

4. Con un marcador (o lápiz) se pintan los ojos y la boca en la cara del payaso. Se cortan dos manos de cartón y se ponen al final de cada brazo. También se cortan dos huarachitos de cartón y se pegan abajo de la caja.

Para festejar a cada niño en su día, puedes llenar su dulcero con cacahuates y dulces.

Mayo

1. Para el día 10: Arreglo floral (para el día de la madre)

Material: Papel crepé (dos pliegos del color que te guste y un pliego de color verde), pegamento blanco, veinte alambres (o unos palitos secos y rectos más o menos de 20 cm. cada uno).

Modo de hacerse:

1. Se corta el papel crepé (menos el de color verde) en forma de cuadros de 8 cm. por cada lado. Se forran los alambres con el papel crepé verde. Enseguida se pega

cada cuadro en forma de cono. Cuando ya se hayan secado cada cuadro, se le hace el siguiente corte:

2. Después, pasa el alambre por cada cono y pégalo enmedio del cono, formando así un alcatraz. Colócalos en un florero; si no tienes, improvísalo con una lata forrada.

2. Para el día 10: Un frutero para mamá

Material: dos discos viejos de música, uno grande y otro chico; pegamento blanco, papel estraza (u otro papel, como papel periódico o "revolución"), café instantáneo disuelto en un poco de agua, algodón (o un trapito) y agua caliente.

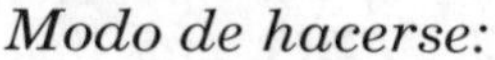

Modo de hacerse:

1. Se sumerge el disco grande en el agua caliente, doblándole las orillas hacia arriba; hay que hacer esto rápido. Y de la misma manera se hace con el disco chico.

NOTA: Si no tienes discos, puedes usar platos desechables gruesos de plástico.

2. Corta el papel en tiras y pégalo a los discos, forrándolos como quieras.

3. Después, pega los dos discos de manera que quede uno arriba y otro abajo. Pinta el frutero con la solución de café, usando un pedazo de algodón (o trapito) y espera a que seque.

3. Para el día 10: Cajas para guardar hilos o alhajas

Material: Una caja desechable con tapa, pegamento blanco, medio metro de tela (con motivos de flores, etc.) una esponja de 20 por 15 cm., encaje (o estambre de color).

Modo de hacerse: Forra la caja con la tela y, en la orilla de abajo de la caja, pega el encaje. Para forrar la tapa, pega la esponja a la parte de arriba de la tapa, cortándola a la medida. Después, forra con la misma tela y pega el encaje en la orilla de la tapa.

4. Para el día 10: Porta-retratos

Material: 1/4 de papel cascarón blanco, sopa de pasta sin cocer (variada), pintura dorada, cinta adhesiva ancha, pegamento transparente, cuchilla y regla.

Modo de hacerse:

1. Corta dos rectángulos de papel cascarón de 12 x 18 cm. A uno de los dos recórtale, en el centro, la forma que desees (corazón, rectángulo, cuadrado, círculo, etc.).

2. Después pega los dos rectángulos de papel, uno sobre el otro, de manera que lo recortado quede sobre el lado blanco del papel cascarón, pega con la cinta adhesiva ancha, únicamente por los lados y abajo, dejando libre por arriba para que la fotografía entre.

3. Pégale la sopa de pasta, dándole la forma y el diseño que quieras. Deja secar perfectamente.

4. Luego, píntalo y déjalo secar. Para que el porta-retratos se pueda apoyar, se recorta del papel sobrante un triángulo de 5 cm. por cada lado. Con la cuchilla márcale un corte por uno de los lados sin llegar a hacer el corte, como lo indica el dibujo.

5. Dóblalo y pégalo por atrás como aparece en el dibujo.

5. Para este mes dedicado a María: Oración a la Virgen

Material: Una cartulina de cualquier color, tijeras, pegamento blanco, una imagen de la Virgen, 1/2 metro de encaje, una hoja blanca, colores o plumones.

Modo de hacerse:

1. Se cortan de la cartulina 5 cuadros del mismo tamaño de la imagen de la Virgen. Se pega uno sobre otro y, por último y hasta arriba, la imagen de la Virgen.

2. En una cuarta parte de la cartulina se coloca la imagen de la Virgen en la parte de arriba. Y un poco más abajo se coloca la hoja blanca. Sobre esta hoja cada uno debe escribir una oración a la Virgen, con sus propias palabras.

3. Se decorará la imagen de la Virgen con el encaje y lo demás de la cartulina, con colores o plumones.

4. Esta oración se puede pegar en la pared junto a la cama para que se lea todos los días de mayo.

6. Para todos los días del mes: Ofrecimiento de flores

Durante el mes de mayo se acostumbra el ofrecimiento de flores a la Virgen. Puede ser de la siguiente manera:

Se les pedirá a los niños que traigan flores y, de ser posible, agua perfumada. Y dentro del templo, se forman los niños y, después de rezar un misterio del Rosario, pasan con las flores y las dejan a los pies de la imagen de la Virgen. Y, si llevan agua perfumada, rociarán las flores mientras se entonan cantos a María. Si es posible, los encargados conseguirán –ya sea con los papás de los niños o con algunas otras personas que deseen cooperar– algunos dulces para que se les repartan al final del Rosario. Si quieren, se puede hacer esto todos los días del mes o cada semana. Si se hace, es conveniente variar la forma de rezar el Rosario y el convivio (dulces) al final del ofrecimiento (ver: *Actividades del mes de octubre*).

Junio

No hay actividades catequéticas durante todo este mes porque los niños se encontraran al final de su año escolar y tendrán muchas actividades extras en la escuela. Además es conveniente que el catequista también tenga sus vacaciones.

Julio y Agosto

Por ser tiempo de vacaciones para los niños, es un tiempo muy bueno para organizar otro estilo de actividades que no se pueden hacer durante el año escolar; por ejemplo: festivales culturales, mini-olimpiadas, talleres bíblicos, etc. (ver: *Servicios, Deportes y Convivios*).

Septiembre

1. Para la 1ª semana: Álbum de recuerdos del verano

Material: 10 hojas blancas o papel "revolución" tamaño oficio, 1/4 de cartulina o papel cascarón, un broche para archivo o 1/2 metro de listón delgado, lentejuela o diamantina, pegamento blanco, colores y una perforadora.

Modo de hacerse:

1. Las hojas se cortan por la mitad y se emparejan. Se perforan en uno de los lados, como lo indica el dibujo.

2. Se recorta también la cartulina o papel cascarón 1/2 cm. más grande que las hojas. Se perforan también para que queden los hoyitos en el mismo lugar de las hojas y se les pueda poner el broche o el listón.

3. Se decora con dibujos o con las lentejuelas o diamantina o con cualquier otro adorno que se le quiera poner.

Modo de usar: En este álbum cada niño escribirá y dibujará los momentos más importantes de lo que le pasó durante las vacaciones de verano; también puede pegar fotografías. En la última hoja, cada niño escribirá un propósito bueno que quiera hacer para comenzar bien el año escolar.

2. Para el día 15: Adornos para las fiestas patrias

Material: Se compran bolsas de plástico de 60 por 100 cm. de color verde, blanco y rojo; también se necesitarán tijeras y alfileres.

Modo de hacerse: Las bolsas se doblan en 8 partes a lo largo y se prenden con alfileres para que no se desdoblen. Después, se cortan en zig-zag a lo largo. Se les desprenden los alfileres y se cuelgan.

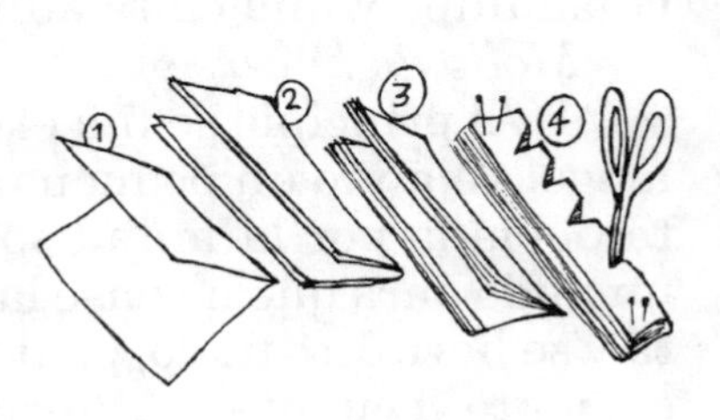

3. Para comenzar el mes: Morral (para útiles de la catequesis)

Material: Un metro de yute, una bolsa de estambre grueso del color que gusten, una aguja capotera y tijeras.

Modo de hacerse:

1. Se corta el yute por la mitad. A esta misma mitad se le cortan 20 cm. a lo largo. Se dobla el yute otra vez por la mitad y se pegan las orillas, dándole la forma de una bolsa.

2. Con la aguja y el estambre, se cosen los lados. Para que no se vea la costura, se voltea.

3. Después se dobla el pedazo de yute de 20 cm. a la mitad. Se pega en las orillas de la bolsa.

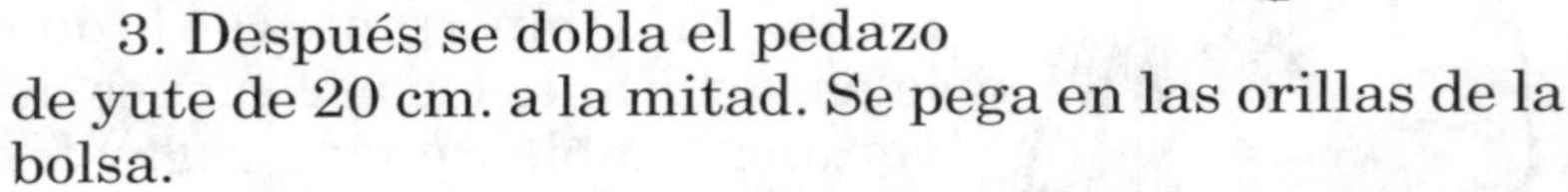

4. Con la aguja y el estambre, le hacemos un fleco de 5 cm. por toda la orilla de la bolsa.

Octubre

1. Para principios del mes: Rosario de amor

Material: 3 metros de hilo nylon de cualquier color, cuentas de colores diferentes o de un solo color, etiquetas autoadheribles cuadradas, un crucifijo (tamaño normal para un rosario), una estampilla chica de la Virgen de Guadalupe y una cinta adhesiva transparente.

Modo de hacerse:

1. Al principio se fija el crucifijo al hilo con un nudo; luego, dejando un pequeño espacio, se pone una etiqueta doblada por la mitad sobre el hilo, después se hace un nudo para que no pase la cuenta, se le pone una cuenta y se hace otro nudo, poniendo por cada "misterio" únicamente 3 cuentas. Al terminar cada misterio, se empieza otro (una etiqueta y 3 cuentas); el número de misterios debe ser según el número de personas de la familia (o del grupo de personas por quienes uno quiere orar) más otro. Después del último misterio se dobla otra etiqueta; se corta la cara de la Virgen de la estampilla y se pega a un lado de la etiqueta. Al final se ata el hilo con un nudo entre el crucifijo y la primera etiqueta.

2. La última etiqueta se deja en blanco. Pero en todas las demás hay que escribir los nombres de los de la familia, incluyendo el nombre de uno mismo, empezando por el papá y terminando por el hermano más chico. Después se cubre cada etiqueta con un pedazo de la cinta adhesiva transparente, incluyendo la de la Virgen y la que está en blanco.

Modo de rezarse: Con la señal de la cruz, se pone uno en la presencia de Dios. Luego, se lee el nombre de la primera etiqueta (el papá). Siguen las 3 cuentas que tienen que ver con su papá:

* pensar en cómo anda el corazón de su papá (dónde está, con quiénes está, cuáles son sus problemas, sus miedos, sus alegrías, sus planes, etc.);
* pedir por él;
* darle gracias a Dios por él.

Luego, haz lo mismo para el nombre de cada misterio, incluyendo el tuyo.

Al final, está una etiqueta en blanco. Ésta es para que uno pueda pedir por otra persona que necesita de sus oraciones; cada día puede ser una persona o intención distinta.

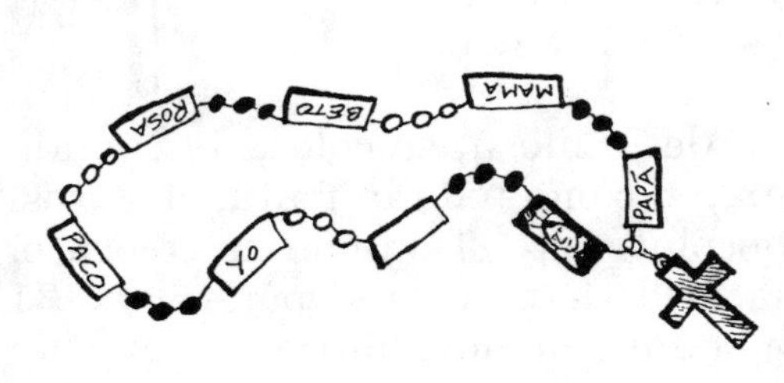

Cuando llega uno a la imagen de la Virgen, primero se recuerdan las palabras de ella a Juan Diego: "No temas, ¿no estoy yo aquí que soy tu madre?" Luego, en sus propias palabras, uno se pone bajo la protección de la Virgen y termina con el rezo del "Avemaría".

Es bueno animar a los niños para que lo recen diario, especialmente en octubre, el mes del Rosario.

2. Para el día 31: Altar de muertos (al estilo de Oaxaca)

Material: Una mesa, una caja un poco más chica que la mesa, papel de china morado y blanco, calaveras de yeso y de azúcar, "un entierro" (ver las instrucciones de la siguiente actividad), dos cañas con todo y hojas, flores, frutas, un retrato de algún familiar (o amigo) fallecido, pequeños platillos con la comida favorita del familiar fallecido, cigarros, una copita de mezcal, tijeras y velas de diferentes tamaños y colores.

Modo de hacerse:

1. Se coloca la mesa pegada a una pared y, encima, la caja. Se forra todo con el papel de china; puede hacerse como papel picado, como si fuera un mantel para adornar.

2. Las cañas con todo y sus hojas se colocan a los lados de la mesa, de manera que se crucen en el centro, exactamente arriba de la caja, en donde se colocará el retrato del familiar fallecido; a los lados, las velas, las calaveras de yeso y de azúcar, con el nombre del familiar a quien se le dedica el altar.

3. En lo que resta de la mesa, se coloca la comida preferida del familiar, así como toda la fruta, cigarros, copita de mezcal, chocolate, etc. También se coloca el entierro (si desean hacerlo). Este altar se pone el día 31 de octubre y se quita el día 3 de noviembre.

3. También para el día 31: "El entierro"

Material: 6 garbanzos secos, 6 cuadros de papel lustre de 10 X 10 cm. (pueden ser de un solo color o de diferentes colores), pegamento transparente, algodón, un rectángulo de cartón de 12 X 8 cm.

• *Modo de hacerse:* Con cada cuadro de papel lustre, se hace un cono y se pega. Se le corta abajo, de manera que se pueda parar. (Ya está el cuerpo de "un muerto".) Se le hace un corte en la parte superior, que es donde se le va a pegar el garbanzo (la cabeza del muerto). Al garbanzo se le pega un poco de algodón (el pelo). Se le pitan ojos, nariz y boca. Se hace una cajita de cartulina a manera de ataúd.

Modo de colocarse en el altar: Se arreglan y se colocan de una manera chistosa (por ejemplo: un ataúd, con 6 "mariachis" cantando y tocando sus instrumentos; una boda, con el padre, los novios, etc.; un panteón con sus bardas y entrada, y adentro va la procesión: 6 personas cargando el ataúd; o una reunión de familia con el ataúd, etc.). Se coloca sobre el altar del muerto, abajo y en el centro.

Noviembre

1. Preparar para el 1° de noviembre: Una comparsa

Modo de realizarse: Las comparsas son desfiles de personas disfrazadas; uno debe ser algún personaje muy conocido (por ejemplo: un político o alguien famoso del lugar donde se presenta la comparsa). Todos los disfrazados llevan una máscara de calavera y se dedican a bailar por las calles con música de su banda, ridiculizando al personaje que están representando.

Normalmente se representa una escena, donde el personaje famoso tiene un paro del corazón y luego se muere. Todos piden ayuda para el enfermo; llega primero una enfermera, después un doctor, luego un sacerdote, hasta la clásica novia llorando, etc., y ninguno tiene éxito para sanarlo. Por fin llega el diablo y se lo lleva con él. Es una obra cómica.

Se toca la música y todos bailan. Después caminan por las calles y se paran en otra parte donde hay mucha gente y se repite lo mismo. Se hace esto el 1º de noviembre por la tarde y noche.

2. Para el mismo día: Máscaras (para la comparsa)

Material: Una venda (puede ser de tela o de papel), aceite para la piel, tijeras, agua caliente y pinturas (vinílicas) y un pincel.

Modo de hacerse: Se aplica un poco de aceite en la cara del que va a hacerse la máscara (esto es para que no se le pegue la venda). Se corta la venda en pedazos y se remoja con el agua caliente. Y se le va pegando en la cara, dándole la forma de la misma cara y dejándole los orificios de los ojos, de la nariz y de la boca, hasta que se cubra toda la cara. Se espera hasta que se seque y se despega. Luego se pinta según la máscara que deseas obtener.

3. Para el 2 de noviembre: Calaveras

Material: Una cartulina negra, un pliego de papel de china de color blanco, tijeras, pegamento blanco, colores o plumones, una hoja de papel blanco para cada calavera.

Modo de hacerse: Se corta la cartulina en cuatro partes iguales y se pega la hoja blanca en el centro de cada parte de la cartulina si se quieren hacer varias calaveras.

Se decora lo que queda de la cartulina negra con recortes del papel de china, al estilo del papel picado (formando figuras alusivas a la celebración, como son cruces, calaveras, etc.).

Las "calaveras" se hacen dedicadas a algún amigo o persona conocida. Se escribe sobre el papel blanco del centro de la tarjeta una poesía chistosa. Esta poesía siempre contiene lo siguiente: debe hacerse en forma de rima, debe destacar uno o más rasgos positivos de la persona a la que se la dedican y, por último, debe bromear un poco acerca de la "muerte", que siempre termina por llevarse a la persona.

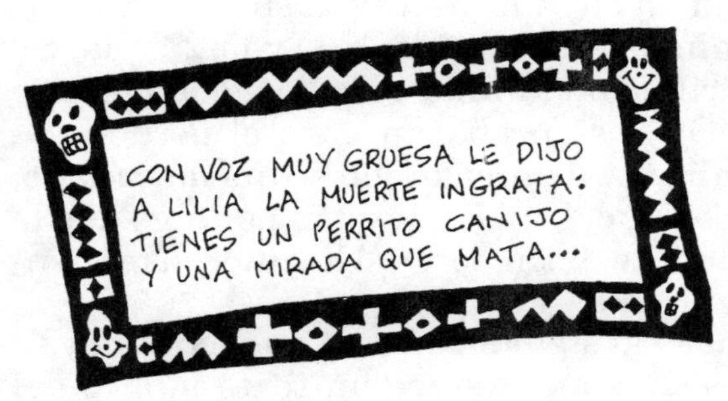

Las "calaveras" se hacen para obsequiárselas a la persona a quien se dedican. Si es posible, publicarlas en algún periódico mural u hoja parroquial o hasta en un periódico del lugar.

3. Para los domingos de Adviento: Corona de Adviento

Material: Una corona de unicel, 4 velas de color morado (o de cualquier color), follaje verde natural o artificial, listón celoseda dorado, 4 nochebuenas rojas y pegamento transparente o silicón.

Modo de hacerse: Ver el dibujo. A la corona de unicel se le hacen 4 perforaciones en forma de cruz, del diámetro de las velas para poder ponerlas y que no se muevan; se les puede poner un poco de pegamento transparente para que no se caigan. Después se pone el follaje entre las velas, tratando de cubrir muy bien toda la corona; luego se ponen las nochebuenas sobre un moño dorado entre cada una de las velas y se pegan bien con el pegamento.

Modo de orar en familia (Todos sentados alrededor de la Corona):

Primer domingo: Se prende la 1ª vela. Se pregunta: ¿Qué es la Navidad para cada uno? ¿Cómo pueden prepararse para la Navidad? Platicar todos. Se lee algún texto bíblico relacionado con el tema; hacen oración y comparten sus reflexiones. Llegan a un acuerdo familiar de lo que van a hacer con alegría para crear el ambiente de Navidad en su vida y en su casa.

Segundo domingo: Se prenden la 1ª y la 2ª vela. Se fomenta la reconciliación familiar. Después de ponerse en presencia de Dios, se preparan para el perdón. Se pasa la corona enfrente de uno, quien se queda callado. Los demás, uno por uno, le piden perdón por algo que le han hecho y después le dicen por qué lo quieren (diciéndole cosas muy concretas y sentidas).

Luego, se la pasa al siguiente hasta que todos hayan recibido la corona. Después, se lee un texto bíblico del perdón de Dios. Se toman de las manos y un miembro de la familia pide perdón a Dios, y ayuda para seguir adelante. Al final, llegan a un nuevo acuerdo familiar.

Tercer domingo: Se prenden todas la velas, menos la 4ª. Platican en familia de sus deseos y de sus miedos: ¿Qué cosa quieren lograr con su vida?... ¿Qué les ayuda?... Y, ¿qué les hace todo más difícil? Leer un texto bíblico. Después, cada uno va a decir cómo le va a ayudar a cada uno de los demás de la familia; esto será su quehacer de la semana.

Cuarto domingo: Se prenden todas la velas. Se pregunta: ¿Cómo pueden ayudar a otros a tener una Navidad más feliz este año? Platican todos de personas necesitadas, solas, tristes, etc. (incluyendo sus propios parientes), y pensarán en qué cosas pueden hacer. Leen un texto bíblico. Llegan a un acuerdo familiar.

Diciembre

1. Para el 12 de diciembre: Imagen de la Virgen (de cascarón de huevo)

Material: Una imagen de la Virgen de Guadalupe, un cartón del mismo tamaño, muchos cascarones de huevo, pegamento blanco, pinturas de los colores de la ropa de la Virgen y un pincel.

Modo de hacerse: Se pega la imagen en el cartón. Después se muelen muy bien todos los cascarones de huevo. A la imagen que está pegada en el cartón, se le pone pegamento, dejando descubierto el rostro y las manos. Al pegamento que se va utilizando, se le va agregando el polvo de los cascarones, dejando libres las orillas de la figura. Se deja secar. Se pinta todo de acuerdo al color de la ropa de la Virgen. Y para darle el último toque, con el mismo cascarón se le marcan las orillas para darle la forma; y esto se pinta de negro.

2. Para el 12 de diciembre: La Virgen (de canicas y cristal)

Material: Una imagen de la Virgen de Guadalupe, un cristal del mismo tamaño, pegamento blanco, canicas de los colores de la ropa de la Virgen, una cinta adhesiva y un marcador negro de aceite.

Modo de hacerse: Se pega la imagen abajo del cristal con cinta adhesiva. Se marca la imagen de la Virgen por arriba del cristal con el marcador. Se ponen a cocer las canicas en una lata (o traste viejo que ya no sirva). Y cuando las canicas se hayan reventado, se sacan y se separan por colores en diferentes bolsas de plástico. Se golpea un poco a cada bolsa hasta que las canicas se hayan quebrado. Sobre el cristal, se pega el color de cada canica, donde corresponda, formando así la imagen de la Virgen. Después se despega la imagen de atrás, dejando el rostro y las manos.

3. Para el día 16: Nacimiento (con figuras dentro de un globo)

Material: Una bolsa de estambre del color que te guste; medio kilo de azúcar, un globo, papel para regalo con las figuras del Nacimiento, pegamento blanco, un pedazo de cartón y tijeras.

Modo de hacerse: Se infla el globo. Se mete el estambre dentro del agua con el azúcar hasta que esté bien impregnado. Después se va enrollando el hilo de estambre alrededor del globo hasta que todo esté completamente cubierto, menos un lado. Cuando se seque completamente el estambre, se rompe el globo y queda el estambre con la misma forma del globo. Se cortan las figuras del Nacimiento del papel de regalo. Se les pega un pedacito de cartón para que no se doblen y se colocan el interior del "globo de estambre", fijándolas bien en el estambre. Se deben colocar en tercera dimensión, unas más atrás de otras.

4. Para el día 16: Nacimiento tradicional

Material: Un misterio (San José, la Virgen, el niño Dios, el ángel, la vaca, el burro, los 3 Reyes Magos y unos pastores), musgo y heno, casitas, pozos, animalitos, un portal, papel para simular rocas, pinturas de agua, pegamento blanco, cajas de cartón.

NOTA: Si no tienen las figuras del nacimiento, se pueden dibujar en papel y pegar con cartón detrás para enderezarlas, o se pueden hacer de barro y pintarlas.

Modo de hacerse: Se van poniendo las cajas como si fuera una montaña; se cubre todo con heno y musgo. Arriba en la "montaña" se pone el portal con el misterio. Los Pastores, los animales y las casitas se irán colocando por toda la montaña. Si es posible, ponerle luces por todos lados para que iluminen bien todo el nacimiento y se ponga más alegre.

NOTA: El niño Dios no se coloca en el nacimiento hasta el día 24 de diciembre por la noche. Cuando se coloca, se acompaña de cantos de arrullo y villancicos para recordar y celebrar su nacimiento.

5. Para los días 16 al 24: La piñata

Material: Una olla rajada o una caja de cartón, papel periódico, engrudo, papel de china o papel lustre de diferentes colores, tijeras, 5 pliegos de cartoncillo, papel metálico, un m. de mecate muy resistente.

Modo de hacerse:

1. Si se consigue una olla rajada, entonces se podrá hacer una piñata clásica de 5 picos. Primero, se ponen varias capas de periódico con el engrudo para que se haga más resistente. De los cartoncillos se hacen 5 conos y se pegan; luego se pegarán a la olla como lo indica el dibujo. A cada cono se le hacen unos cortes en la base para que queden pegados a la olla.

2. Después se empieza a cubrir todo con el papel de china rizado; también se ponen adornos de papel lustre o metálico entre cono y cono. El mecate se pondrá amarrado en la boca de la olla, dejándole un lazo para colgarla por enmedio; se dejará secar perfectamente.

3. Luego, se rellena la piñata. Tradicionalmente se usa fruta de la temporada de diciembre (manzanas, te-

jocotes, naranjas, mandarinas, cacahuates y cañas), pero se puede llenar de dulces envueltos y confeti.

6. Para los días 16 al 24: Hacer una posada

Cada lugar tiene su modo especial de hacerlo. Normalmente se siguen estos pasos: Se invita a los vecinos y, entre todos, se organizan y realizan la posada. Se cierra la calle y la adornan con tiras de papel picado de diferentes colores y diseños. Por la noche, se reúnen para llevar a los Peregrinos (san José y la Virgen María) de casa en casa, con las velas prendidas, cantando y pidiendo "posada". Cuando llegan al lugar de la Posada, todos entran cantando; dejan a los Peregrinos en un lugar especial de casa y rezan delante de ellos. Después, se comparte lo que hay de cenar entre todos. Se rompen las piñatas, empezando con los niños más chiquitos. Se pueden tener juegos y hasta baile. Si hay niños presentes, es mejor no tener ninguna bebida alcohólica para evitar las molestias que esto suele traer.

7. Para el día 24 (o los días anteriores): Una pastorela

Es una obra cómica con un mensaje sobre la Navidad. El tema de la obra es casi siempre el mismo: Un ángel les dice a unos pastorcillos (muchachos y muchachas) que va a nacer el Hijo de Dios en un establo. Se entera el diablo –que normalmente está vestido de rojo, con cuernos y cola– y hace todo lo posible para que no lleguen los pastores con el Niño Dios. Hay engaños, pleitos (entre san Miguel y el diablo) y muchas otras cosas divertidas. Pero, por fin, llegan los pastorcillos a adorar al Niño Dios, después de haber aprendido bien el mensaje de la pastorela.

Servicios y deportes

Cómo organizar con los niños un servicio para los demás

Lo que *no* debes hacer	Lo que *sí* debes hacer
Mandarlos solos a dar su servicio.	Acompañarlos siempre a planear y realizar su servicio.
Actividades que implican un largo compromiso.	Una actividad que pueden hacer en una mañana o en una tarde; luego, deben evaluarla y celebrarla juntos.
Actividades tediosas, aburridas o hasta traumáticas para los niños, por ejemplo: visitar a enfermos moribundos para rezar largo rato o visitar manicomios o cárceles.	Actividades formativas y divertidas, por ejemplo: plantar árboles y cuidarlos, limpiar la basura de una calle, colaborar con la clínica en una campaña, visitar a un enfermo con cantos, o una obra de teatro o con una tarjeta hecha por ellos mismos.

Para organizar deportes, eventos y paseos:

1. Una mini-olimpiada

Un ejemplo de cómo se organizó una con los niños de diez parroquias en un parque de la Ciudad de Oaxaca.

Con tres competencias y cada una con cuatro categorías.

Competencias

* Carrera de relevo de costales
* Carrera de relevo de 50 m.
* Jalar la cuerda con grupos iguales

Categorías

* Niños de 7 a 9 años.
* Niños de 10 a 12 años.
* Niñas de 7 a 9 años.
* Niñas de 10 a 12 años.

Cada equipo llevaba: porra, comida para compartir y ganas de convivir.

2. Un festival cultural

(Así se hizo en Sta. Ma. Coyotepec, Oaxaca)

Actividades

* Teatro (menos de 10 minutos de duración)
* Canto de grupo
* Declamación coral
* Pintura (un mural: Sobre papel "Kraft" de dos m. Los niños pueden dibujar, pintar, pegar papel o plantas, etc.)
* Bailable de grupo.

En este festival, cada actividad (menos el bailable) expresó el tema: "Las inquietudes de los niños de hoy".

3. Un campamento

(Con la ayuda de algunos papás de los niños.) Con anterioridad, se escoge un lugar agradable para el campamento: uno que sea seguro para los niños y bonito (con árboles, agua, cerros, etc.).

Los papás forman equipos de comida, de dormir y de transporte. Se fija una hora exacta para la salida y la llegada.

Al llegar, se construyen *los refugios* para dormir. Si no tienen tiendas de campaña o si no hay una terraza de una casa, se pueden hacer con dos palos, cuerda, hojas grandes de plástico y mecate muy delgado para amarrar el plástico a unas estacas.

Se organizan los grupos de servicio: ayuda en la cocina, ayuda en lavar los trastes, limpieza de baños (si los hay), etc.

Se organiza el horario del día: por ejemplo, juegos, comida, excursión, cena, fogata, dormir.

Aprovechar el lugar para hacer actividades distintas. Por ejemplo: *alpinismo* (subir cerros) y caminatas de resistencia junto con los guías. *Herbolaria:* se recogen flores y hojas de diversas plantas y las pegan a unas hojas de papel. Después, cuando estén otra vez en casa, tendrán la tarea de investigar el nombre y para qué sirve cada planta, para compartir la información en otra reunión de la comunidad de niños.

Jornada artística: Se dobla una tira de papel duro (o cartón) varias veces en forma de acordeón. Cada niño lleva esto y unos colores. En el lugar que más le guste al niño, pintará el sitio, el árbol, etc., en su tira de papel; por el otro lado de cada dibujo, explicará por qué le gustó. Después, comparten todos sus dibujos y explicaciones (la tira queda como si fuera unas tarjetas postales desplegables).

La *fogata* forma una parte muy importante para un campamento; es el momento de fomentar la mística de los amigos y las amigas en el Señor Jesús. Es bueno empezar con una oración, todos agarrados por las manos. Luego, cantos, juegos y chistes. Se pueden tostar bombones, salchichas u otras cosas para comer. Se termina con una oración espontánea de acción de gracias.

4. Un taller bíblico

El taller se organiza de lunes a viernes por las mañanas (o tardes). El esquema es básicamente lo mismo para cada día:

1. Contarles la historia de un personaje de la Biblia; luego, reflexionar juntos sobre el mensaje de la historia.
2. Representar la historia y su mensaje de un modo distinto cada día; por ejemplo: teatro, títeres, franelógrafo, dibujo, canto (un corrido conocido con la letra cambiada), mímica, etc.
3. Una actividad distinta cada día: un concurso, un juego, un rally, un trabajo manual, deporte, sesión de canto, aprender bailes, etc.
4. Una oración y un quehacer (cómo poner en práctica el mensaje). Al final de todo el taller, los niños harán un mural para mostrar lo que han aprendido.

5. Un rally cultural

(Hay que hacerlo con la ayuda de otros)

Modo de prepararlo

Con anterioridad, se escoge un pueblo (o una parte de la ciudad). Se eligen ciertos puntos de interés; por ejemplo: edificios antiguos, un árbol grande, un arroyo, un lugar importante de trabajo, un templo, etc. Después, se escoge una ruta para el rally: primero, un lugar, luego otro, hasta llegar al último lugar de la lista. Se escriben unas orientaciones algo "difíciles" para llegar a cada punto.

Modo de realizarlo

Se dividen los niños por grupos; cada grupo tendrá su guía. En cada lugar del rally estará un árbitro para calificar a cada grupo.

Se dará a todos los grupos al mismo tiempo la primera orientación para llegar al siguiente lugar. Cada grupo lo buscará junto con su guía.

Cuando llega un grupo al lugar, el árbitro les explicará la historia y la importancia del lugar. Luego les dará una orden (por ejemplo: traer una pluma de gallina, o una hoja de roble, o una piedra de arroyo, etc.). Una vez que cumplen la orden, el árbitro les dará la siguiente orientación. Y así sucesivamente, hasta que todos los grupos lleguen al último lugar. Los árbitros darán la puntuación para cada grupo (según su rapidez para llegar a cada lugar, su capacidad para cumplir la orden y por su capacidad para recordar lo importante de cada lugar). Se puede dar algún premio al grupo.

6. Un domingo deportivo

Se organiza un torneo de futbol, basquetbol o volibol para los papás de los niños, otro para los niños, otro para las niñas y otro para las mamás. Se comparten la comida y se pasa el día muy a gusto.

7. Paseos y excursiones

Se escoge un lugar bonito, donde se puede ir y volver el mismo día (a diferencia del campamento, donde se quedan todos a dormir). Se organiza bien el día entre juegos, caminatas, comida, etc.

Rezos y oraciones

Oraciones tradicionales

La señal de la Cruz

En el nombre del Padre, y del Hijo y del Espíritu Santo. Amén.

El Padrenuestro

Padre nuestro, que estás en el cielo,
santificado sea tu nombre;
venga a nosotros tu Reino;
hágase tu voluntad,
en la tierra como en el cielo.
Danos hoy nuestro pan de cada día;
perdona nuestras ofensas,
como también nosotros perdonamos
a los que nos ofenden;
no nos dejes caer en la tentación
y líbranos del mal. Amén.

El Avemaría

Dios te salve, María, llena eres de gracia,
el Señor es contigo.
Bendita tú eres entre las mujeres,
y bendito es el fruto de tu vientre, Jesús.
Santa María, Madre de Dios,
ruega por nosotros, pecadores,
ahora y en la hora de nuestra muerte. Amén.

El Gloria

Gloria al Padre, y al Hijo, y al Espíritu Santo; como era en el principio, ahora y siempre, por los siglos de los siglos. Amén.

El Acto de Contrición

Señor mío Jesucristo, Dios y Hombre verdadero, me pesa de todo corazón de haber pecado, porque te ofendí a ti, que eres tan bueno y que tanto me amas, y a quien yo quiero amar sobre todas las cosas.

Propongo firmemente, con tu gracia, enmendarme y alejarme de las ocasiones de pecar, confesarme y cumplir la penitencia. Confío en que me perdonarás por tu infinita misericordia.

Amén.

Credo breve

Creo en Dios Padre todopoderoso,
Creador del cielo y de la tierra.
Creo en Jesucristo, su único Hijo, nuestro Señor,
que fue concebido por obra y gracia del Espíritu Santo,
nació de santa María Virgen,
padeció bajo el poder de Poncio Pilato,
fue crucificado, muerto y sepultado,
descendió a los infiernos,
al tercer día resucitó de entre los muertos,
subió a los cielos
y está sentado a la derecha de Dios, Padre todopoderoso.
Desde allí ha de venir a juzgar a vivos y muertos.
Creo en el Espíritu Santo,
la santa Iglesia católica,
la comunión de los santos,
el perdón de los pecados,
la resurrección de la carne
y la vida eterna.
Amén.

El Rosario

Comenzar con "la señal de la cruz" (para ponerse en presencia de Dios). A continuación se reza cada uno de los misterios, del siguiente modo:

Se dice el misterio y se reza un "Padrenuestro".

Se rezan diez "avemarías" (pensando en el misterio). Al terminar, se reza el "Gloria". Se dice el siguiente misterio, etc. Concluidos los cinco misterios, se rezan tres "avemarías": la primera, por las intenciones de Papa y de toda la Iglesia; la segunda, por el obispo y las necesidades de la diócesis; y la tercera por el sacerdote y todas las necesidades de la parroquia.

Los Misterios Gozosos:

(Para rezar lunes y jueves)

1. La Encarnación
2. La Visitación
3. El Nacimiento
4. La purificación de la Virgen
5. El Niño Jesús perdido y hallado en el Templo.

Los Misterios Dolorosos:

(Para rezar martes y viernes)

1. La oración en el huerto
2. La flagelación del Señor
3. La coronación de espinas
4. Jesús toma su cruz
5. Jesús muere en la cruz

Los Misterios Gloriosos:

(Para rezar miércoles, sábado y domingo)

1. La Resurrección del Señor
2. La Ascensión del Señor al cielo
3. La venida del Espíritu Santo
4. La Asunción de la Virgen María
5. La Coronación de María Santísima

Las Estaciones del "Viacrucis"

(Para rezar los viernes de Cuaresma y Viernes Santo)

1ª Estación: Jesús es condenado a muerte.

2ª Estación: Jesús toma su cruz.

3ª Estación: Jesús cae bajo el peso de la cruz.

4ª Estación: Jesús se encuentra con su Madre.

5ª Estación: Simón, el cireneo, ayuda a Jesús a llevar su cruz.

6ª Estación: Verónica limpia el rostro de Jesús.

7ª Estación: Jesús cae por segunda vez.

8ª Estación: Jesús consuela a las mujeres de Jerusalén.

9ª Estación: Jesús cae por tercera vez.

10ª Estación: Le quitan la ropa a Jesús.

11ª Estación: Jesús es clavado en la cruz.

12ª Estación: Jesús muere en la cruz.

13ª Estación: Bajan a Jesús de la cruz y se lo entregan a su Madre.

14ª Estación: Jesús es sepultado.

15ª Estación: Jesús resucita de la muerte… ¡Y vive hoy día con nosotros!

NOTA: Al recordar la vida de Jesús en cada estación, se acostumbra hacer una reflexión sobre aspectos similares que ocurren hoy día en la vida de nuestro pueblo. Y se termina cada estación con dos peticiones: una para pedirle perdón a Dios por nuestras faltas de amor y otra, para pedirle que nos ayude a amar más a los demás.

Crea tus oraciones con los niños

1. Renovar el modo de rezar el Rosario

Rezarlo todos una noche, caminando por las calles, en forma de un rosario. Se carga una cruz, los niños que son los cinco misterios llevan una antorcha; los niños que son cuentas de avemaría, llevan veladoras. Cada niño dirigirá la primera parte de su rezo y los demás dirán lo demás.

O en vez de los cinco misterios, se mencionan cinco temas para hacer peticiones (la familia, la escuela, el mundo, etc.); los niños harán sus peticiones espontáneamente por cada tema y, luego, todos rezarán un padre nuestro, un avemaría y el gloria. Y pasan al siguiente tema.

O en vez de los cinco misterios, son cinco citas bíblicas; deben ser muy breves, como unos cinco versículos cada una. En la cuenta del Padrenuestro, se lee toda la cita bíblica. Con las cuentas de avemaría, se hace lo siguiente: una cuenta, primer versículo; otra cuenta, cantar todos juntos la estrofa de un canto; siguiente cuenta, segundo versículo; siguiente cuenta, cantar juntos la misma estrofa, etc. Al terminar el misterio, en vez de rezar el gloria, se canta toda la canción.

NOTA: Si los niños se aburren con cinco misterios, solamente reza uno o dos. El modo de orar debe ajustarse a los niños y no los niños al modo de orar.

2. Usar citas bíblicas y hacer oraciones con ellas a modo de las letanías

Ejemplo 1 (1 Cor 3, 6)

Todos dicen: «San Pablo dice: "Somos templo de Dios y el Espíritu de Jesús vive en nosotros" Con Jesús podemos hacer todo lo bueno». Luego, dejar que todos, uno por uno, digan una cosa que quieren hacer durante el día. Después de hablar cada niño, todos dicen: "Con Jesús tú lo puedes hacer". Al final, uno pide para que Jesús los ayude a todos.

Ejemplo 2 (1 Juan 4, 16)

Todos dicen: «San Juan dice: "Dios es amor y Dios nos ama"». Dejar que cada niño, uno por uno, diga algo por lo cual está agradecido. Después de hablar cada niño, todos dicen: "Gracias, Dios mío, por ser tan bueno; gracias por amarnos tanto". Terminar con un canto.

3. Dirigir su oración (usando la imaginación)

Sentarse cómodamente en círculo con sus cabezas reclinadas contra la pared; dejar un espacio entre cada niño. Crear un ambiente para orar: Ojos cerrados durante toda esta oración, posición cómoda, no hablar con nadie durante toda la oración, escuchar los ruidos adentro y fuera del lugar donde están (¿Cuántos ruidos distintos pueden oír?), sentir su respiración (cómo entra y sale el aire en su cuerpo).

Después, dirigir la oración para ellos. Por ejemplo: Narrar despacio un momento en la vida de Jesús, mencionando todos los detalles y dejarles un tiempo suficiente para que puedan imaginar todo lo que se narra. Al final, dejarlos con Jesús un rato para que platiquen. Motivarlos a escuchar su corazón.

* O leer despacio un salmo (Salmo 23, "El Señor es mi pastor").
* O usando la imaginación, ayudarlos a sentir que Jesús está en este momento con ellos. Dejarles tiempo para sentirlo, estar con él y escuchar su corazón… y platicar de lo que sienten otra vez con Jesús.

4. Fotocopiar, colorear y pegar junto a tu cama

PADRE DIOS

AYÚDAME A AMAR COMO **TÚ** ME AMAS.

CUANDO QUIERO SER GROSERO,
QUE MI CONTESTE BIEN.

CUANDO QUIERO SER EGOÍSTA,
QUE MIS COMPARTAN LO MÍO.

CUANDO SIENTO ODIO A OTRO,
QUE MIS LO VEAN COMO HERMANO.

CUANDO MIS PAPÁS ME HABLEN,
QUE MIS LOS ESCUCHEN Y
QUE MIS LOS OBEDEZCAN.

Índice